NARCO EXTRA VAGANCIA

HISTORIAS INSÓLITAS DEL NARCOTRÁFICO

Óscar Escamilla

NARCO EXTRA VAGANCIA

HISTORIAS INSÓLITAS
DEL NARCOTRÁFICO

AGUILAR

AGUILAR

© 2002, Óscar Escamilla
© De esta edición:
2002, Distribuidora y Editora Aguilar, Altea, Taurus, Alfaguara, S.A.
Calle 80 No. 10-23
Teléfono 635 12 00
Bogotá, Colombia

• Aguilar, Altea, Taurus, Alfaguara, S.A.
Beazley 3860. 1437, Buenos Aires

• Grupo Santillana de Ediciones, S.A.
Torrelaguna, 60. 28043, Madrid

• Aguilar, Altea, Taurus, Alfaguara, S.A. de C.V.
Avenida Universidad 767. Colonia del Valle
03100 México, D.F.

I.S.B.N.: 958-8061-96-2
Impreso en Colombia

© Diseño de cubierta: Nancy Beatriz Cruz Sánchez

A los reporteros
y a las voces

CONTENIDO

Prólogo: Otra punta de la historia. 11

Testimonios 15

Relatos. 69

Historias de antología 169

Otra punta de la historia

A finales de 2001 me encontré con el periodista Alonso Salazar[1] en el lanzamiento de un libro de reportajes y crónicas colombianas de la década de los noventa. Esa noche Salazar decía que hay personajes tan macabros e historias tan desproporcionadas que la labor del periodista consiste en ser descarnadamente escueto para que los lectores no crean que les está inventando cosas o sobredimensionando la verdad. Pensé que la opinión de Salazar era algo exagerada. Pero en el momento de escribir este libro he caído en la cuenta de que su comentario era una verdad aplastante.

En octubre José Luis Novoa y yo publicamos en la revista *Gatopardo* un artículo sobre las excentricidades de los narcotraficantes co-

---

[1] Escritor caldense, autor de varios libros, entre ellos: *La parábola de Pablo*, sobre la vida de Pablo Escobar y *No nacimos pa' semilla*, sobre las bandas de sicarios de Medellín (Antioquia).

lombianos. Para ese reportaje hablamos con los generales de la Policía y del Ejército que comandaron el Bloque de Búsqueda o que estuvieron en la caída de los grandes carteles del tráfico de cocaína y marihuana; con los periodistas que vivieron los años de esplendor de la mafia de Cali, Medellín y la costa atlántica; recogimos las historias y crónicas de los barones de la droga que aparecían en libros, revistas y periódicos, y también entrevistamos a personajes en la sombra que vivieron en el mundo de los narcos y que ahora están retirados.

Creía que con lo hecho para *Gatopardo* ya había agotado buena parte del pozo de la historia. Pero no. Mientras reporteaba y escribía este libro, en los viajes y entrevistas con los hombres que vivieron, comieron, padecieron y gozaron del mundo del narcotráfico, descubrí a los personajes a quienes se refería Alonso Salazar, aquellos a los que un adjetivo les puede hacer daño y una frase mal puesta puede ocasionarles una catástrofe de marca mayor; también aquellos que cuentan tantas cosas inverosímiles que si uno no está atento puede ayudar a inmortalizar los mitos y leyendas que en la imaginación popular crecen como fértiles parásitos al lado de las historias verdaderas, y que a veces terminan ocultándolas.

Los personajes que relatan este libro fueron empleados de grandes capos, les prestaron sus servicios a los barones de la droga, manejaron sus carros, estuvieron presos en cárceles extranjeras por traficar con cocaína. Del negocio a veces les tocó una gran tajada del pastel, pero otras veces tuvieron que conformarse con las migajas. La mayoría son hoy gente del común. Algunos se comprometieron a contar sus historias pero después renunciaron, por temor a las represalias.

La primera parte de este texto es el resultado de conversaciones sin grabadora —condición puesta por los entrevistados—; muchas de ellas fueron hechas en discotecas y bares, a puerta cerrada y en voz baja, a la orilla del mar Caribe o en una fonda paisa. La segunda parte corresponde a los relatos de hombres y mujeres que hicieron parte del engranaje de la mafia y cuyo tono narrativo resultaba tan auténtico que cualquier intromisión de estilo podría falsearlas;

garrapateando compulsivamente en libretas de apuntes, las historias fueron tomando forma tras contrastar versiones, confirmar datos y eliminar sin piedad aquellas en las que el narrador quería estirar la realidad hasta límites inverosímiles. La tercera parte retoma las historias más características de los tiempos del narcotráfico.

Agradezco a José Luis Novoa y a Luis Carlos Gómez por su vocación de lectores y por la virtud de saber dar ánimo y garrote al mismo tiempo. A Salud Hernández por las historias que me regaló y por saber escuchar las mías. A Alonso Salazar que, sin saberlo, me mostró una nueva cara de la realidad. También a los personajes y las voces que han vuelto a darme una lección de periodismo: las historias están entre la gente, no en las oficinas de prensa ni entre los políticos de turno, y mucho menos en las versiones oficiales.

El autor

1

TESTIMONIOS

La búsqueda

A principios de los años noventa se perdió una avioneta en la que iba un narcotraficante con sus dos hijos, la muchacha del servicio y dos tripulantes. Regresaban de un viaje a los Estados Unidos. El día anterior a la desaparición de la nave, la esposa del hombre se había devuelto presurosa a una ciudad del eje cafetero para arreglar ciertos asuntos, por lo que no viajó con la familia. Se creía que el avión debía llegar a las diez de la mañana, porque el piloto se reportó por última vez a la torre de control pasadas las nueve, cuando ingresaba a un sector que está entre Mariquita (Tolima) y Armenia (Quindío). Pero el avión nunca llegó. En la tarde la Aeronáutica Civil inició la búsqueda, que se extendió por tres días, pero no dio con la nave. Entonces la familia de los desaparecidos asumió la búsqueda por su cuenta. Contrató ocho aviones y ochenta personas por dos meses para que se distribuyeran diez en cada nave. Tenían la orden de pegarse a los vidrios de cada aparato y avisar en caso de que vieran señales del avión, destellos provocados por latas, ramas de árboles quebradas o cualquier cosa que hiciera merito-rio hacer bajar hasta el sitio que se señalara los cinco helicópteros contratados para el rastreo. Cada observador recibió 10 mil pesos diarios. La familia también reclutó doscientas personas más para que, bajo las órdenes de un grupo de res-catadores profesionales de Suiza que trajeron perros amaestrados, recorrieran a pie el nevado del Ruiz y sectores cercanos a Antioquia, Toli-ma y Chocó. En uno de los helicópteros mon-taron un camarógrafo que filmó durante un mes —desde las cinco de la mañana hasta las seis de la tarde— ríos desconocidos, lagunas en el techo de las montañas, columnas de guerrilleros ca-minando en fila india y toda clase de animales y vegetación que esconde la cordillera Central. Cuando llegaba a tierra entregaba los cuatro ca-setes diarios a un grupo de editores que durante el día revisaba cada grabación. La familia, de-sesperada, contrató los servicios de varios brujos, y uno de ellos dijo que veía a los sobrevivientes dentro de una caverna oscura pidiendo auxilio. Fue entonces cuando decidieron tirar desde los aviones doscientas cajas, de tres metros de largo por tres de ancho, con radios de comunicaciones, cobijas, comida enlatada, chocolatinas, dulces, chaquetas y un equipo completo de primeros auxilios. Las cajas iban atadas a paracaídas y fueron regadas por la zona de la cordillera Central donde se reportó por última vez el capitán de la nave. También arrojaron en ese sector un millón de volantes en los que ofrecían 50 millones de pesos a quien diera información del avión o de sus ocupantes. Pusieron anuncios de recompensa en los periódicos del eje cafetero y en las emisoras de radio de la región. Pero después de tres meses de búsqueda sólo hallaron los restos de un avión ecuatoriano accidentado en los años setenta.

Carreras de caballos

Como Gonzalo Rodríguez Gacha y Pablo Escobar no podían asistir todo el tiempo a las carreras de caballos que se hacían simultáneamente en varias partes de Colombia, enviaban a varios de sus hombres para que fueran por ellos a esas competencias. Los enviados tenían la misión de informar por teléfono a los capos los nombres de los caballos de cada carrera, el orden en las líneas de partida y los favoritos de los especialistas. Debían, además, hacer algunas descripciones del color y el tamaño de los ejemplares. Y luego aguardaban en el teléfono hasta que les dieran la orden de apostar. Mientras tanto, los dos capos, reunidos en alguna de sus fincas, apostaban entre ellos por caballos distintos a sus favoritos, hasta 500 millones de pesos en cada carrera. Cuando se conocía el ganador celebraban y volvían a empezar.

Las apuestas de El Mexicano

Una de las grandes pasiones de Gonzalo Rodríguez Gacha era apostar. Le iba a casi todo: ¿quién sería el primero en entrar por una puerta?, ¿qué jugador haría el primer gol?, ¿cuál sería el caballo de carreras que llegaría de último? Jugaba partidas de billar con su mejor amigo, El Chino, a quien conoció en Bogotá, en las que el ganador se embolsillaba entre 100 y 200 millones de pesos. Alguien que trabajó para Gacha relató que una de las apuestas más extravagantes que le vio hacer al narcotraficante y a su amigo fue la de contratar dos prostitutas para que se subieran en una mesa, se desnudaran delante de los guardaespaldas y lograran, con movimientos eróticos de la pelvis, que uno de ellos les practicara sexo oral. La apuesta consistía en adivinar cuál de los hombres sucumbiría primero.

Gacha *light*

Después de que vio su rostro publicado en los medios de comunicación, Gonzalo Rodríguez Gacha decidió cambiar su aspecto físico. Contrató los servicios de una dietista, bajó varios kilos, se cortó el cabello y se hizo un tratamiento dermatológico para borrar el brillo de la piel, producto de la grasa, que era más notorio en la frente y la nariz. Aceptó la recomendación de un modisto y empezó a vestir con ropa de grandes diseñadores que importaba de Europa y los Estados Unidos. Le decía a su gente que ya no quería verse mofletudo y con ese aire campesino que jamas lo abandonó. Sin embargo, murió con la cara destrozada por una granada y vestido con botas de caña alta y un overol camuflado tipo militar.

Enterrando tesoros

Hay quienes dicen que la fortuna de El Mexicano no ha sido del todo descubierta, que sólo se ha encontrado una pequeña parte del botín, que aún falta desenterrar los toneles, las canecas, los cofres y dos camionetas Toyota repletas de dólares que escondió en una de sus haciendas en Puerto Boyacá (departamento de Boyacá). Él mismo vigilaba a los sepultureros de sus tesoros, que extrañamente desaparecían después de cada trabajo. Gacha enterró su dinero porque no podía consignarlo en los bancos y porque se le acabó la gente que se prestaba para servirle de testaferros.

El oro y *Tupac Amaru*

Gonzalo Rodríguez Gacha tenía llaves de oro de las puertas de sus casas, mansiones y fincas. Le gustaba tanto este metal que hizo instalar grifos, duchas, chapas y hasta cintillas de oro en juegos de sala y comedor hechos en madera. A un carro deportivo de dos asientos le puso timón, palanca de cambios y manijas para los vidrios, de oro. Sin embargo, su verdadera joya era *Tupac Amaru*, un caballo avaluado en un millón de dólares que cuidaban varios hombres armados, quienes tenían la orden de no dejarlo solo a ninguna hora. Si el caballo sufría un dolor de estómago o algo le molestaba, los hombres pagaban con su vida. *Tupac Amaru* ganó varias competencias de paso fino, dentro y fuera del país. Su gran habilidad consistía en caminar para delante y para atrás dibujando el número ocho con las patas. En la historia equina del país no se sabe de otro caballo que hiciera lo mismo.

Rumba Gacha

Las fiestas de El Mexicano eran inolvidables. Contrataba orquestas de salsa, conjuntos vallenatos y tríos. Alguna vez llevó a una de sus haciendas a un famoso cantante de mariachis mexicano, a quien le pagó en efectivo 200 millones de pesos. Lo recogió en Juárez (México) uno de sus aviones privados y, una vez acabó la presentación, dio la orden para que lo llevaran de vuelta a su país. Eso contó uno de los empleados del capo, quien fue testigo de que en esas fiestas, Gacha acostumbraba beber aguardiente frío. Si la rumba se alargaba hasta la medianoche, ordenaba que le armaran un pequeño cigarrillo de marihuana que se fumaba a escondidas de sus invitados.

La inauguración de la Posada Alemana

La Posada Alemana fue inaugurada a principios de los años ochenta. Al evento invitaron a cientos de personas de Armenia y de otras ciudades del eje cafetero. La Posada fue el sueño de Carlos Lehder Rivas y debía convertirse, según sus palabras, en el primer gran complejo hotelero y turístico de Armenia. El día de la inauguración, Lehder llegó a la Posada Alemana en un helicóptero que aterrizó cinco minutos después de otro del que se bajaron cuatro hombres vestidos de negro con gafas oscuras y maletines en sus manos. Los hombres se cuadraron en dos hileras a la espera de Lehder, quien llegó vestido con pantalón negro y saco blanco de cuello alto. La comitiva del narcotraficante se subió en cuatro Chevrolet Capric Classic de color negro. Los invitados, que estaban parados junto a la puerta de la Posada, vieron cuando a la distancia Lehder ingresó en el primer carro y los guardaespaldas se distribuyeron en los tres restantes. La caravana recorrió unos 500 metros y se perdió de vista en una curva. Cuando los cuatro carros llegaron hasta donde esperaba la multitud, la gente se arremolinó en torno al primer vehículo para saludar a Lehder, quien descendió del último automóvil.

Los días de la Posada Alemana

«Éste va a ser un hotel de cinco estrellas», decía Carlos Lehder parado ante la maqueta de la Posada Alemana. Los terrenos y la construcción le costaron 500 millones de pesos. Tenía treinta cabañas, cada una con sala de recibo, bar, chimenea, cocineta, tina y televisor. Había, además, patios de recreo, piscinas, una zona de comidas rápidas, una alquería, una vinería, una discoteca y un restaurante tipo bávaro adornado con escudos cruzados por espadas. El lugar era atendido por chicas vestidas como las conejitas de *Playboy* y meseros de buena apariencia física trajeados con smoking. La Posada era, en extensión, un gran homenaje a John Lennon: en la entrada, además de un león enjaulado, había una escultura del cantante de Liverpool, flaquísimo y desnudo, con una gorra en la cabeza, una larga guitarra apretada contra el pecho y un objeto en la mano izquierda. Varias fotos del ex Beatle, de 2,20 de alto por 1,20 de ancho, colgaban de las paredes de la Posada. Y hasta había un busto de bronce suyo en medio de la discoteca. El día de la muerte de Lennon, Lehder leyó un artículo de prensa que relataba la vida y obra del intérprete inglés. Al fondo sonaba una canción de los Beatles. Gran parte de la Posada Alemana se quemó luego de que a Lehder lo extraditaron a los Estados Unidos, acusado de narcotráfico. Un trabajador le prendió fuego a la maleza que arrinconó contra una de las paredes. Las llamas casi consumieron el lugar que, no obstante, aún hoy se mantiene en pie.

Ejercicios y Rolex

A Carlos Lehder le gustaba levantarse en las mañanas y salir a trotar. Dicen sus amigos que tenía un estado físico envidiable. En sus casas instaló gimnasios para levantar pesas y hacer abdominales. Acostumbraba vestirse con ropa pegada al cuerpo, generalmente sacos negros o blancos de cuello alto, para que se le marcaran los músculos del pecho y de los brazos. Usaba relojes Rolex y en su colección se contaban varios «Presidente» de oro de diseños exclusivos. Alguno de esos relojes fue decomisado por el gobierno y ahora está guardado en una cajilla de seguridad del Banco de la República.

La marihuana y Lehder

Carlos Lehder apostaba con sus amigos y guardaespaldas al que pudiera armar primero un cigarrillo de marihuana montado en un caballo que estuviera corriendo a pleno galope. Un empleado suyo contó que era tal la pasión del capo por la marihuana que consumía en el día entre veinte y treinta cigarrillos el doble de grandes de lo acostumbrado. Por lo general se los armaba un hombre que siempre llevaba un maletín repleto de yerba. Cuando se acababa la ración, el capo mandaba a su gente a comprar más a Armenia; a veces tenían que ir en helicóptero. Era allá donde conseguían la variedad que tanto le gustaba, la «punto rojo», también conocida como «moño rojo». Algunos fumadores consultados dijeron que la característica principal de este tipo de marihuana es que su efecto puede durar hasta una hora y media.

Los callejones aéreos

Uno de los miembros del cartel de Medellín era experto en aeronáutica y sabía pilotear aviones. Incluso tenía una flotilla propia compuesta por dos Turbo Commander, un Navajo y un helicóptero pintado de rojo y negro. El capo era un afiebrado de estas máquinas. Conocía de distancias marítimas y sabía leer mapas de navegación. Compró el dato sobre las coordenadas de los callejones que se formaban entre dos radares, y con esa información ingresó en los Estados Unidos grandes cantidades de cocaína. El primer embarque de droga lo hizo en los años setenta. En esa ocasión llevó una avioneta cargada con 500 kilos del alcaloide hasta las playas de la Florida sin hacer escalas. Antes del viaje le adaptó a la nave dos tanques auxiliares de reserva de combustible que se conectaban manualmente cuando se acababa el principal. Salió de una pista clandestina en el norte del Valle del Cauca, y cuando llegó a la Florida «bombardeó»[2] la

---

[2] Arrojar los paquetes del alcaloide desde el avión.

droga en una playa, a donde había enviado con varias semanas de anticipación a un grupo de amigos suyos, a quienes les había ordenado hacerse pasar por turistas. Para conocer el sitio buceaban de noche y prendían fogatas en la playa. El día en que el capo «bombardeó» la droga, ellos, por órdenes suyas, hicieron un círculo con bengalas para iluminar el lugar exacto donde el avión debía tirar el cargamento.

Los negocios de Lehder

AlquiLada fue uno de los tantos negocios que tuvo Lehder en Armenia. Era una empresa de alquiler de jeeps marca Lada que nunca progresó. Importó varios de estos carros, que con el tiempo quedaron en manos de sus amigos y acreedores. La otra empresa fue una oficina llamada Cebú Quindío, encargada de negocios agropecuarios, ubicada en un sector exclusivo de Armenia. Uno de los hombres de confianza de Lehder contó que en el parqueadero de Cebú Quindío estacionaron durante mucho tiempo un carro de carreras de la categoría Nascar, de los Estados Unidos, que nunca fue encendido.

La *limousine* francesa

En Europa, un coleccionista de carros le vendió a Carlos Lehder una *limousine* negra con el argumento de que perteneció a un ex presidente francés. En ese carro el capo recorrió buena parte de Europa en compañía de cinco amigos. Al cabo de unos meses importaron el vehículo a Colombia. Llegó a Armenia y se volvió corriente verlo en las calles. Después el carro pasó a manos de Pablo Escobar. Las autoridades lo descubrieron, tras el atentado dinamitero de los enemigos del capo[3], el 13 de enero de 1988, al edificio Mónaco de Medellín.

Asientos de lujo

La compañía alemana de asientos para vehículos Recaro, que les diseña a algunas escuderías de la Fórmula Uno y que hace poco cambió las sillas en los banquillos de los jugadores y el cuerpo técnico del estadio español Santiago Bernabeu, no sabe que sus afamados sillines se

[3] Enemigos de Pablo Escobar. Grupo formado por otros capos de la mafia para acabar con Escobar.

pusieron de moda en Armenia, durante los años ochenta, por cuenta de Carlos Lehder. El capo los mandaba hacer sobre medidas para sus carros o los de sus amigos, algunos dueños de vehículos poco lujosos. Le gustaban esos asientos porque son diseñados sobre medidas, son ergonómicos, disminuyen el riesgo del conductor y de los pasajeros en caso de accidente, están hechos con materiales resistentes al fuego y vienen en diferentes colores.

Las carpas de Lehder

En los tiempos de la campaña del Movimiento Cívico Latino Nacional, liderado por Carlos Lehder para llegar al Concejo de Armenia y de otros municipios del Quindío, se organizaban encuentros con sus seguidores bajo una carpa tipo militar. En esas reuniones, llamadas «sábados patrióticos», Lehder pronunciaba discursos de corte nazi que podían durar hasta dos horas, y dirigía arengas en contra de la política exterior de los Estados Unidos y de la extradición de colombianos a ese país. Después de escucharlo, los asistentes recibían un plato de arroz con pollo, una bolsa de leche y un sobre con 500 pesos. El día en que el capo llenó de gente la Plaza de Bolívar de Armenia, en el cierre de campaña, repartió entre sus seguidores platos de arroz chino. La mayoría llegó atraída por la posibilidad de ganarse una casa que se rifó al final de la reunión. Ese día habló en el mismo tono nacionalista, pero apuntó su ironía hacia los políticos de la región. Cuando llevaba una hora de discurso, cortaron la luz y la plaza se silenció por un rato. Entonces hizo traer varias plantas de energía, reconectó sus potentes equipos de sonido y continuó: «Y ahora que vengan y me apaguen los equipos.» El mitin terminó en una fiesta animada por una orquesta de música tropical.

Mi lucha: Lehder

La pelea de Lehder contra el gobierno y algunos grupos económicos de Colombia se evidenció en Bogotá. A finales de los años setenta mandó empapelar la ciudad con unos carteles en los que aparecía un águila, símbolo de un banco nacional de la época, sosteniendo en sus patas una tira con una leyenda que decía: «Estas garras desgarran los vientres de los pobres.»

Campaña virtual

Un senador amigo de varios traficantes de cocaína le endulzó el oído a Carlos Lehder para que hiciera campaña al Congreso de Colombia. El problema era que el capo no tenía seguidores por fuera de Armenia. Para hacer parecer que las masas lo seguían, Lehder reclutó desempleados de la zona cafetera y se los llevó de gira por cinco ciudades del país en sus propios aviones. Visitó con ellos Cartagena, Bucaramanga, Barranquilla, Medellín y Bogotá. A todos les pagó hotel y comida y les dio 2.000 pesos diarios de viáticos a cambio de que gritaran vivas a su nombre y cargaran pancartas de apoyo a su candidatura. Lo acompañaron, en esos recorridos, varios amigos, un grupo de guardaespaldas, algunos periodistas, técnicos de sonido y expertos en montaje de espectáculos. Los viajes quedaron grabados, por petición de Lehder, en películas de cine de 35 milímetros, que ahora nadie sabe dónde están.

Motocross y marihuana

El día en que Lehder inauguró la pista profesional de motocross, en terrenos de la Posada Alemana, hizo una fiesta inolvidable. Organizó competencias de motocicletas en diferentes categorías y una exhibición de caballos de paso fino. Al final de la tarde, por los parlantes de la pista, un locutor anunció en repetidas ocasiones la siguiente frase: «Fuera los caballos, que se queden los "colinos"[4].» Después apareció un camión de carga de dieciocho ruedas que se estacionó delante de las graderías. Cuando levantaron la carpa del remolque, apareció uno de los grupos de rock más importantes de la época, que tocó hasta entrada la noche. Una persona que estuvo en ese concierto contó que en las tribunas un grupo de hombres ofrecía cigarrillos de marihuana gratis a los asistentes.

---

[4] Fumadores de marihuana.

Lehder, Agente 007

Entre la colección de carros de Carlos Lehder estaba un Mercedes Benz 280 SLE de color gris, con blindaje nivel cinco, el más alto en este tipo de protección. Uno de los conductores de Lehder dijo que a ese carro le instalaron en la parte de atrás un tanque que botaba humo, otro que arrojaba aceite y uno más que regaba tachuelas. Incluso tenía un cañón de pistola que se accionaba desde un control en el tablero, parecido a las armas de los carros del Agente 007. Además, pusieron en el baúl un tanque de oxígeno, para casos de emergencia. Decía el conductor que el carro quedó tan pesado —2.000 kilos—, que cada 15 días tenían que cambiarle el embrague.

El principio del fin

El 8 de julio de 1982 empezó el fin de Lehder en Armenia. Ese día, a las 6:40 de la tarde, siete personas murieron al chocar contra un camión el BMW en el que iban. Los tripulantes, tres jovencitas, tres adolescentes, la mayoría hijos de familias adineradas de la ciudad, y el dueño del vehículo, regresaban de una fiesta en la Posada Alemana. Los organismos de socorro tardaron un día en sacar los cuerpos de entre los fierros retorcidos del carro, al que sólo le quedó bueno el baúl. Desde ese día Lehder dejó de ser el «empresario» pujante de Armenia para convertirse en el delincuente que todos señalaban, incluso quienes hicieron negocios con él. Sin ser el responsable del accidente, lo culparon a él de las muertes. El segundo error fue la entrevista que le concedió a una emisora colombiana, en junio de 1983, en la que confesó su gusto por la marihuana, habló de su fortuna y reafirmó su «lucha» personal contra el imperialismo yanqui.

La fiesta de «Pissamal»

En 1980 Carlos Lehder organizó una fiesta de disfraces para inaugurar uno de sus bienes más preciados, la hacienda «Pissamal»: 1.200 hectáreas de tierras fértiles a orillas del río La Vieja, en los límites del Valle del Cauca con el Quindío. Alguien que estuvo varias veces en el lugar recordó que sobre un pequeño promontorio de tierra se construyó la casa, que bautizaron con el nombre de «Bello Horizonte», y en uno de los extremos hicieron la piscina, que quedó tan al borde de la pequeña colina que daba la impresión de que se fuera a desbordar. Uno de los asistentes a la fiesta contó que el día de la inauguración instalaron dos bufés: uno de comida internacional y otro de comida criolla. Abrieron un bar con toda clase de bebidas y en una mesa colocaron tres bandejas de plata repletas de marihuana, cocaína y basuco. Esa noche sólo se escuchó rock and roll y buena parte de las parejas se deslizaron hasta los cuartos de la casa para hacer el amor. Al día siguiente no había licor ni droga en las bandejas. Todo había sido consumido, menos la comida, que se avinagró.

Sueños miríficos

El sueño de Carlos Lehder era llevar a la Posada Alemana al grupo británico The Rolling Stones. Gente cercana al capo dijo que todo el tiempo hablaba del tema y hacía cuentas de lo que le costaría el cuarteto inglés. Creía que por un millón de dólares el grupo roquero se presentaría en la Posada Alemana. Hablaba de transportar a los artistas en sus aviones y de ayudar con el montaje del escenario. Lehder hacía recorridos por la Posada, señalaba el sitio donde pondría el escenario y los lugares donde instalaría los amplificadores de sonido. Todo el tiempo repetía que la entrada al concierto sería gratuita. Nunca se conoció oficialmente de acercamientos entre el grupo o sus representantes y el narcotraficante. Todo fueron especulaciones y parte de los sueños de Lehder que, en otro arranque de imaginación, pensó en crear una empresa de aviación en el Quindío. Tendría escuela de pilotos, servicios de transporte aéreo de carga y pasajeros, y un sistema exclusivo de avionetas-taxis para los ejecutivos de la región. Esto último sonaba extravagante, pues en la zona no existen grandes empresas: la región vive de cultivar café y criar ganado. La empresa se iba a llamar Aeroespacial Quindío. También contrató a un arquitecto y a un grupo de dibujantes para que hicieran los planos y la maqueta de una ciudad dentro de Armenia. El lugar se llamaría La Colonia. Habría edificios para la clase media, condominios para los adinerados y viviendas multifamiliares para los más pobres. El proyecto incluía la construcción de un teatro tipo Broadway, cien locales comerciales y un supermercado con un moderno sistema de despachos: la compra iría directamente a la cocina de las casas. Se levantaría una muralla para resguardar el lugar y un grupo de guardias cuidaría cada rincón a través de circuitos cerrados de televisión.

El helipuerto escondido

El primero de septiembre de 1983 el gobierno colombiano ordenó la captura de Carlos Lehder. El hombre del cartel del Quindío huyó hacia una zona selvática en los Llanos Orientales. Se refugió en «Airapúa», una finca que tenía como particularidad un helipuerto escondido entre los árboles. Quienes estuvieron allí dicen que se abría antes de cada aterrizaje al accionar un sistema mecánico que desplazaba hileras de árboles montados sobre rieles. Cuando la policía allanó la finca, Lehder alcanzó a fugarse en una lancha rápida, como las que se usan en los pantanos de la Florida, en las que el piloto va sentado en una silla alta delante de un gigantesco ventilador y maniobra la máquina con palancas. Uno de los colaboradores cercanos de Lehder dijo que su patrón contaba a cada rato historias fantásticas sobre fugas espectaculares. Relató que en una de esas escapadas se sumergió durante varias horas en un río y utilizó una caña de bambú para poder respirar bajo el agua. Decía que esa táctica la aprendió viendo películas norteamericanas de guerra. Después de huir de los cercos militares y de hacer declaraciones a la prensa nacional y extranjera —en una de ellas apareció con el cabello largo y ropa tipo militar— fue capturado por la policía el 4 de febrero de 1987 en una casa de campo llamada Noralandia, en la vereda Los Toldos del municipio de Guarne (Antioquia), y luego extraditado a los Estados Unidos.

La casa de la bailarina

Existe en el norte de Bogotá una casa de un narcotraficante avaluada en cinco millones

de dólares. Las paredes y los vidrios están blinda-
dos, tiene puertas eléctricas, detectores de humo,
ocho parqueaderos, piscina térmica y cámaras de
vigilancia. Varios hombres armados la custodian
noche y día. En la sala principal hay una vitrina
donde se exhibe una vajilla de colección con grabados hechos a mano y un juego de cubiertos de
oro. Los muebles estilo Luis XVI son importados. Lo más llamativo, además de un jarrón de
la dinastía Ming que mide 1,80 de alto, es la figura de una mujer desnuda de 80 centímetros,
toda blanca, en posición de bailarina de ballet.
«Es de un material tan suave que cuando uno le
pasa la mano parece que estuviera tocando la piel
de una persona», dijo alguien que estuvo varias
veces en el lugar.

El submarino paisa[5]

   A principios de los años noventa un capo del cartel de Cali mandó construir un submarino para transportar cocaína sin que fuera detec-

[5] Paisa: procedente del departamento de Antioquia.

tada. Contrató a un ingeniero de Armenia que construyó un aparato esférico en fibra de vidrio. Adentro le instaló sistemas de ventilación, un pequeño cubículo para dos tripulantes delgados y dejó espacio suficiente para colocar la droga. La idea era adherir el submarino a un barco de gran calado que lo arrastraría hasta las costas de los Estados Unidos y que, antes de llegar a puerto, lo soltaría para que lo recogiera otra embarcación menor. Después de construida, la nave fue desarmada y llevada por partes en varios camiones desde la ciudad cafetera hasta un puerto de la costa atlántica colombiana. Un testigo que vio cómo armaron el submarino contó que, para poder transportar las piezas sin levantar sospechas de las autoridades, falsificaron una carta en la que una supuesta petrolera señalaba que la carga iba a ser utilizada para montar una nueva tubería en la región. Con ese documento, el submarino atravesó medio país. Cuando el aparato llegó a su destino, lo armaron y en él enviaron varios cargamentos de droga a los Estados Unidos.

Las chicas del álbum

La mafia no necesita cartas de amor ni cajas de chocolates para conquistar mujeres bellas. Para eso contratan los servicios de proxenetas que se encargan de conseguirles las mujeres que ellos quieran. Un empleado de narcotraficantes contó que fue varias veces a Bogotá donde una mujer, en busca de «damas de compañía» para sus jefes. Allí vio varios álbumes con fotos de chicas, la mayoría en traje de baño o desnudas. El hombre dijo que cuando se trataba de modelos, un fin de semana podía costar varios millones de pesos. El trato consistía en llevar a la escogida a una ciudad del Caribe. Le enviaban tiquetes aéreos en primera clase, la hospedaban en un hotel de cinco estrellas y luego la llevaban a un crucero en yate para cerrar el trato en alta mar. Otro caso que se conoce es el de un hombre que se para frente a una de las cárceles de máxima seguridad del país. También posee un álbum con fotos de mujeres jóvenes y bellas, que hace circular en los patios donde están los capos. Cuando le dan la orden, hace traer a la chica, que entra en la cárcel sin mayores problemas y permanece allí durante el tiempo que se haya acordado. A veces se quedan dos o tres días.

Todos en Bogotá

En 1993 la Policía desató una persecución contra los capos de los carteles de Cali, Medellín y la costa atlántica en sus ciudades de origen. Ante la presión, muchos de los jefes narcos decidieron trasladar sus operaciones a Bogotá, en donde se sentían más seguros. Alguien que en esa época trabajó para un narcotraficante contó que entre las calles 82 y 127, en el norte de Bogotá, podía verse a diario a muchos de los hombres de los carteles. «No era sino pararse en un semáforo en la avenida Pepe Sierra para darse cuenta de que uno conocía al del carro de en seguida: «¡Ve! ¿Aquél no es el que están buscando? ¿Qué hace por aquí?» El hombre estuvo en varios encuentros de los barones de la droga en un restaurante de la Zona Rosa[6] donde la especia-

---

[6] Sector exclusivo de Bogotá, rodeado de restaurantes, discotecas y casinos.

lidad es el pollo apanado. En ese lugar se ponían cita todas las tardes para cerrar negocios y pagar deudas.

Gringo preso

Cuando un cargamento se perdía, los primeros marimberos no cobraban el error asesinando gente, como ocurriría después con los carteles de la cocaína, sino que imponían penas y castigos. Ése fue el caso de un piloto gringo que no supo aterrizar su avión y dañó un embarque de marihuana que iba a los Estados Unidos. Debía aterrizar en una pista clandestina, en la alta Guajira, donde lo esperaban los marimberos con el cargamento de yerba bajado de la Sierra Nevada de Santa Marta. Era gente que tenía que hacer una travesía de varios días a lomo de mula para llegar hasta la pista. Para que el piloto reconociera la pista, los hombres hicieron una larga calle de antorchas en pleno desierto y pusieron en la cabecera una camioneta Ranger con las luces encendidas, incluidas las exploradoras. Por un error de cálculo, el piloto aterrizó el DC-4 sobre la camioneta y la arrastró varios metros, levantando un polvero y haciendo un ruido de hierros retorcidos que se silenció cuando por fin dominó el aparato varios metros después. Antes que llegaran las autoridades, al hombre lo sacaron de la cabina, luego quemaron el avión, los pedazos de la camioneta y el cargamento, porque era inútil regresarlo de nuevo en mula hasta la montaña y no había otro avión que lo transportara. Al piloto lo condenaron a un año de encierro, que debió cumplir encadenado en alguna parte de la Sierra Nevada. Nada lo pudo salvar de la pena, ni siquiera las protestas que su gente hizo desde los Estados Unidos.

Pequeños cambios

No sólo existieron aviones a los que les quitaron los asientos para instalar una discoteca con bar y cama, como el Cheyenne turbohélice de un narco de segundo nivel, sino que hubo un tiempo en que entre los traquetos[7] del cartel de

---

[7] En la escala de la mafia, quienes ocupan el segundo renglón después de los grandes capos.

Cali se puso de moda comprar camionetas tipo «van» y adaptarles en el interior bar, sillas giratorias tapizadas en cuero, televisor, equipo de sonido y sofá-cama, para hacer en ellas paseos de varios días. Algunos, por el contrario, montaban dentro de estos vehículos, muebles y equipos de oficina y desde allí atendían sus negocios. Otros compraron barcos de pequeño y mediano calado y les instalaron asientos de guayacán o cedro, con televisor a color, jacuzzis y hasta puertas blindadas.

Nadando en millones

Una persona fue testigo de la orden que dio un narcotraficante del cartel del norte del Valle del Cauca, de quitar el enchape rojo de su piscina, que le daba cierto aire tétrico, para ponerle tabletas de mármol que importó de Italia. Las baldosas hacían juego con una cenefa con arabescos bordados en oro que también trajo y que valían más que la piscina. Esa misma persona vio que un mafioso de Medellín incrustó la caja fuerte en su piscina para despistar a los ladrones y a las autoridades. Y estuvo en una casa

de campo donde el dueño mandó instalar un tobogán desde el jacuzzi hasta la piscina. Al caer,
la gente veía un delfín dibujado en el fondo con
pequeñas piezas de colores.

Narcosubasta

Pequeños grupos de mafiosos de Bogotá
organizaban subastas clandestinas en sus casas de
la capital. Allí compraban y vendían por igual
cuadros de Picasso, Van Gogh y Miró. Se ofrecían
colecciones de joyas, monedas y estampillas. Un
guardaespaldas de uno de los asistentes escuchó
que en esas pujas también se negociaban flotillas
de aviones o helicópteros y cargamentos de droga. Recordaba que en medio de la agitación los
meseros vestidos de smoking pasaban con bandejas de plata cargadas de champaña Dom Pérignon y whisky Johnnie Walker con varios años de
añejamiento.

El banquete del millón

Algunos de los grandes capos contrata-
ron un chef de confianza para que se encargara

de preparar platillos internacionales, preferiblemente de nombres y sabores exóticos, como las
pochas con almejas, los chipirones rellenos en su
tinta, el bacalao al pil pil y la jaiba o cangrejo de
mar frío. Las diferentes carnes eran importadas
y transportadas hasta donde estuviera el narco,
en neveras desechables llenas de hielo seco. Los
vinos se encargaban a España o Francia, y de Cu-
ba traían los habanos. Sin embargo, no faltaba
quien a escondidas de sus invitados tomara aguardiente en esos festines gastronómicos.

El comedor-tigre

Alguien fue invitado a la casa de un mafioso. La mansión tenía quince habitaciones, helipuerto, tres estudios, dos bibliotecas, cuatro salas, un gimnasio y un salón de juegos. Pero lo
que más le llamó la atención fue un comedor cu-
ya base era de mármol. Sobre la mesa había un
grueso cristal con la firma de una prestigiosa casa de modas italiana, famosa por la inclusión que
había hecho de los colores del trópico en la alta
costura. Los asientos eran altos, con los espalda-

res de cristal y las patas de mármol. Los cojines estaban hechos en un material que imitaba la piel de tigre. El invitado se sorprendió aún más cuando, a la hora de la cena, vio bajar a los dueños de la casa con ropa de la misma marca del comedor y del mismo material de los cojines: él con una camisa de rayas amarillas y negras; ella con una cinta de esa misma tela en la cabeza sujetándole el cabello.

Narcofiestas

Los barones de la droga contrataban orquestas de moda y a uno que otro artista internacional para amenizar sus fiestas. Esas reuniones eran vigiladas —desde terrazas, tejados, puertas y ventanas— por ejércitos de hombres armados que se comunicaban entre sí por radios portátiles. Los meseros tenían la orden de no dejar que un solo invitado estuviera sin trago en la mano. Los bufés se componían de bandejas repletas de carne a la llanera, varias lechonas y sancocho de gallina criolla. También instalaban mesas con platillos internacionales que casi nadie tocaba. La mesa principal era adornada con figuras de hielo, preferiblemente de cisnes o pavos reales. A medianoche, en un receso de los artistas y cuando los tragos empezaban a hacer efecto en los invitados, era común que el dueño de la fiesta desfilara en el último caballo de paso fino que había comprado, sobre un tablado dotado de micrófonos para que todos escucharan la marcha acompasada del animal.

El cuadro cortado

Un conocedor de arte notó algo raro en un cuadro de una artista nacional que vio colgado en la casa de un narcotraficante. Cuando preguntó qué le había pasado a la obra, el capo contestó que le había cortado un pedazo con unas tijeras porque no le gustaba esa parte y que, además, le había cambiado el marco original por uno nuevo con incrustaciones de oro.

Casa de la fortuna

En Medellín, un hombre fue a una casa donde se guardaban bultos de dólares marcados

según la denominación: había paquetes con billetes de uno, cinco, diez y veinte dólares cada
uno. El dinero era pesado en una báscula elec-
trónica y según el peso se sabía la suma que tenía
cada saco. La cantidad de bultos que había en
esa casa era tanta que ocupaba dos habitaciones
y llegaba hasta el techo, de unos tres metros de
alto. Otra persona vio en una casa distinta a tres
hombres contando dólares que habían metido en
diez cajas grandes de cartón. Tardaron cuatro días
en saber cuánto dinero había.

Las «tome-mija»

Mientras los peces gordos de la mafia les
regalaban a sus amantes carros deportivos importados, los traquetos sorprendían a sus mujeres
con pequeñas camionetas marca Kia, a las que
bautizaron con el nombre de «tome-mija». Estos
vehículos hicieron época en Cali y el norte del
Valle. Un hombre que trabajó para gente de los
carteles contó que las amantes de esos narcos de
baja estofa se vestían con ropas estrafalarias, entre las que era habitual encontrar prendas de cue-

ro y vistosos escotes. La mayoría tenía entre tres y cuatro hijos y «muchas de esas viejas, después de que el bacán[8] cayó en desgracia, terminaron de mujeres de los guardaespaldas».

Del baño al establo

Alguien vio en la casa de un narco un baño con enchapes de mármol, dos lavamanos con grifos de oro y dos tazas de sanitario en las que el papel higiénico estaba marcado, cuadro a cuadro, con las iniciales del dueño. Tenía dos duchas, cada una con su tina, y un jacuzzi. Esa misma persona visitó las pesebreras de otro mafioso: tenían aire acondicionado, música instrumental y estaban tapizadas de pared a pared; el lugar era vigilado por un grupo de hombres armados que dormían en hamacas junto a una yegua. Al animal lo alimentaban a diario con raciones de zanahoria importada de los Estados Unidos.

[8] Se denomina así a quien es generoso, vive en la abundancia o es muy bueno en algo.

Narcooficinas

En los años noventa, cuando alguien visitaba la oficina de un narco se encontraba con la siguiente descripción: una biblioteca repleta de libros comprados por metros, casi todos *best-sellers* que nadie leía; el escritorio, generalmente de doble fondo, adornado con piezas de oro y un ajedrez de marfil; la mesa de juntas era de cedro y las sillas tapizadas en cuero tenían las iniciales del narco repujadas en el espaldar. En algún rincón los capos colocaban el maletín de aluminio, y cuando alguien los visitaba, le obsequiaban lapiceros marcados con sus iniciales.

Muerte al arquitecto

Los mafiosos ordenaron a sus arquitectos que construyeran escondites en sus casas y fincas para refugiarse de las autoridades. A esos escondites los llamaban «caletas» y debían pasar desapercibidos a simple vista. En principio las caletas fueron rudimentarias, pero con el tiempo se hicieron más sofisticadas. Hubo refugios que se abrían al introducir un alfiler en un pequeño agujero y otros que se accionaban si se pedaleaba una bicicleta estática. El problema era que al arquitecto y a los obreros que los construían los asesinaban o desaparecían para que nadie supiera de los escondites.

Del arte al desastre

Era común que en las salas de las casas de los narcos, junto a la obra de un maestro universal de la pintura, como Picasso o Dalí, hubiera un retrato del capo montado a caballo con sombrero de paja, camisa de seda fría, zamarros de cuero y un zurriago en la mano. La silla de montar solía tener incrustaciones de bronce. El marco de la foto por lo general estaba adornado con filigranas de oro.

Con gallera de lujo y grifos de oro

Antes de ir al allanamiento de una finca de Pablo Escobar en el Magdalena Medio, la imagen que un reportero gráfico tenía de las galleras era la misma que tiene la gente del común: un redondel de tierra y pequeñas tribunas de cemento o guadua[9]. Cuando llegó con las autoridades descubrió una gallera que por fuera tenía enchapes de cerámica, el redondel alfombrado con un tapete café oscuro, lo mismo que las graderías, donde cabían unas cien personas bien acomodadas. El pequeño coliseo gallístico estaba junto a una casa con grifos y duchas enchapados en oro y pisos de mármol importado. «Todo parecía nuevo o estaba bien conservado», dijo el reportero que tomó fotos de la sala principal y de los muebles de cuero blanco con cuatro mesas de centro de vidrio. Las camas sin cabecera eran de hierro forjado y le parecieron «tan grandes que en ellas habrían cabido cuatro personas gordas». Llamaron su atención los espejos instalados en el techo sobre esas camas y un clóset vacío en el que «podía haberse jugado un partido de banquitas[10]».

---

[9] Tipo de caña más corta y más gruesa que el bambú.
[10] Fútbol de salón con canchas pequeñas.

La Isla de la Fantasía

La Corporación Nacional de Turismo creó en los años ochenta «La Ruta Dorada», una fórmula de promoción turística en carro por la vía que comunica a Bogotá con Medellín. El recorrido incluía la visita al zoológico de la hacienda «Nápoles». En la entrada el visitante recibía una camiseta blanca, calcomanías y, si estaba de buenas, una gorra de beisbolista. Todos los *souvenires* tenían el mismo dibujo: un carro pequeño repleto de gente que iba por una carretera rodeada de árboles, bajo un arco iris. Cerca de la ruta estaba la Isla de la Fantasía, un pequeño promontorio de tierra en medio de un río que atraviesa el valle del Magdalena. Hasta allí se llegaba en hidroavión o en lancha. El muelle estaba custodiado por una pequeña Virgen instalada en una gruta de roca. En las zonas aledañas a la casa había un quiosco de madera con techo de paja bajo el cual podían bailar cien parejas al ritmo de una rockola que funcionaba con monedas. La casa, de dos plantas, era blanca; tenía balcones y sus pisos estaban embaldosinados con cerámica italiana. Alguien que de niño entró en la isla —allí sólo eran invitados amigos de confianza del dueño— recordó el salón de juegos de video del segundo piso, los desayunos en el mesón de la cocina integral de madera, los pavos reales, las gallinetas, los tucanes y las peleas de perros en las que apostaban por igual niños y adultos. El lugar estaba cuidado por dos doberman, dos pit bull y un grupo de hombres armados, algunos de los cuales se apostaban en la buhardilla, que tenía aire acondicionado y vista a la parte frontal y posterior de la isla. En época de vacaciones en el embarcadero fondeaban botes y *jet skis*. Cuando la policía allanó el lugar preguntó por el dueño a las dos personas que cuidaban; ellas respondieron que al señor sólo lo veían en diciembre, cuando llegaba como Papá Noél[11] a repartir regalos entre los niños de Doradal.

La pareja de narcos

En sus inicios, una pareja de narcotraficantes colombianos compró una *limousine* negra

---

[11] Conocido en algunos países como Santa Claus.

para llevar, cada 15 días, de Miami a Nueva York, 100 kilos de cocaína. Llegaban a la «Gran Manzana» y repartían la droga entre los expendedores minoristas. Cada noche recogían grandes cantidades de billetes de baja denominación, por lo que tuvieron que contratar a un grupo de personas para que les ayudara a contar. Esa gente con el tiempo se enfermó de la piel: les aparecieron manchas rojizas y llagas en las manos. Entonces los traficantes tuvieron que comprar máquinas contadoras de billetes que, a medida que creció la demanda, llegaron a ser veinticinco. El negocio prosperaba y los viajes eran cada vez más frecuentes. Pero surgió un problema: ¿cómo enviar el dinero a Colombia? Descubrieron que dentro de los televisores, las neveras, los equipos de sonido y las lavadoras quedaba espacio para meter paquetes de billetes. Entonces llevaron electrodomésticos a Colombia. Un día, en cercanías de República Dominicana, hombres de la DEA que se hacían pasar por traficantes recibieron 325 kilos de cocaína de manos de un grupo de colombianos que venían en una pequeña embarcación procedente de un puerto situado en la cos-

ta atlántica. La droga llegó a Miami y los traficantes la compraron sin saber que era una reda-
da. Cayeron ochenta personas, incluida la pareja
de narcos.

La novia y el exhibicionista

La viuda de un famoso marimbero[12] de
los años setenta se casó por segunda vez con un
hombre dedicado al tráfico de marihuana. El tipo usaba anillos de oro en todos los dedos de las
manos, se ponía varias cadenas en el cuello y ma-
nillas en las muñecas y los tobillos. La boda se celebró en un yate frente a El Rodadero[13]. Cuando
los declararon marido y mujer, echó a andar el
bote para que la novia saludara a los bañistas, que
no sabían lo que estaba pasando. Al poco tiempo de casada, la mujer volvió a quedar viuda, pues
el marimbero fue asesinado por un problema de
negocios.

---

[12] Que negocia con «marimba», uno de los nombres con que se conoce
a la marihuana.
[13] Balneario de Santa Marta. Esta ciudad es la capital del departamento de
Magdalena y una de las tres principales ciudades costeras de Colombia.

Meseros de tierra

Varias corridas de toros en municipios de la costa atlántica colombiana fueron rejoneadas por un famoso narcotraficante. El hombre aparecía en los carteles junto a matadores de renombre. Acostumbraba llegar a esas corridas en helicóptero (viajaba desde Santa Marta), mientras que sus percherones eran transportados en buses convertidos en pesebreras, con aire acondicionado incluido. El narcotorero contrataba a una cuadrilla de meseros para que atendieran a sus invitados en los palcos de esas plazas de pueblo. A éstos los transportaba en camiones descapotados por caminos de tierra. Cuando los hombres llegaban a los sitios, todos llenos de polvo, veían bajar de los buses a los caballos con sumo cuidado para evitar que se fueran a enfermar. «¡Eche! Y nosotros tragando tierra», recordaba uno de ellos.

Cambio y fuera

Un piloto de marimberos acostumbraba fumarse un cigarrillo de marihuana antes de cada travesía. En su último viaje consumió mucha más yerba de la que podía aguantar. Por eso no entendió cuando le dijeron desde la torre de control que subiera más la punta de la nave para que no se diera con el morro[14]. Por radio respondió que él no llevaba ningún chinchorro[15] y que se dejaran de jodas. No hizo caso y se mató.

El último adiós

Un famoso cantante vallenato saludó a un marimbero guajiro en una de las canciones de su último larga duración. El hombre, para celebrar la dedicatoria, hizo una fiesta que duró cuatro días. Mandó por varias cajas de whisky importado y ordenó asar varios chivos. Durante la parranda no pusieron otra cosa que ese disco y repetían a cada rato la canción dedicada, hasta que uno de los invitados se cansó y gritó que quitaran esa «¡mierda que ya estoy mamado!». Enojado, el marimbero le hizo el reclamo, y el hombre sin pensarlo dos veces lo mató y se fue.

---

[14] Pequeña montaña.
[15] Hamaca.

Tiros de taladro

Luego de haber visto en un documental sobre Al Capone cómo quedaban los automóviles después de las balaceras entre mafiosos, un marimbero colombiano decidió abrirle huecos a su Dodge Dart nuevo, pero no se los hizo a punta de pistola, sino que utilizó un taladro. Cuando la gente le preguntaba en la calle qué le había pasado, él respondía que acababa de salvarse de un ataque de *gangsters* gringos.

La pesadilla

Cuentan que un lugarteniente de Pablo Escobar tuvo una terrible pesadilla cuando andaba pagando cárcel en la Modelo. Soñó con el diablo, con sus cuernos, su rabo y la maldad pintada en el rostro. Belcebú corría por los pasillos del penal muerto de la risa, con un enorme tridente en la mano. Llevaba pinchada a una monjita de hábito blanco que solía visitar a los presos en la cárcel para confortarlos espiritualmente. Ella miraba al demonio con cara de terror.

«Ay, mi Diosito, ¿qué me tendrá reservado ese man[16] si a la monjita buena la trata de ese modo?», decía preocupado el mafioso sin dejar de santiguarse.

El comprador

En Miami hubo un personaje a quien todos conocen por un apodo. El hombre se hizo famoso por los escándalos que hacía en sus salidas a discotecas y *night clubs*. Cada vez que abandonaba un local a altas horas de la madrugada, gritaba a voz en cuello: «Me voy porque tengo que madrugar para comprar condominios para Pablo Escobar.»

De delincuentes a cerveceros

Tres lugartenientes de Pablo Escobar, presos en un pabellón de máxima seguridad, aprendieron por internet a fabricar cerveza. Para el proceso de fabricación montaron el fermen-

---

[16] Individuo, sujeto.

tador y las vasijas de machaque de la malta y co-
cimiento del mosto con el lúpulo, en un rincón
donde se había dañado la cámara de vigilancia.
Hicieron una buena cantidad de licor y lo tenían
listo para celebrar la Navidad, pero fueron des-
cubiertos cuando arreglaron la cámara. El director les quitó los equipos, pero les dejó la cerveza
que, dicen, era de buena calidad.

De la cama a la piscina

En una finca de uno de los Rodríguez
Orejuela, en el kilómetro 18 en la vía a Buena-
ventura, la policía encontró una habitación muy
particular: había un ventanal frente a la cama
para ver el fondo de la piscina, a la que se llegaba
por unas escaleras que daban a una puerta, justo
al borde de la alberca.

El violín de lujo

En una finca en Puerto Boyacá un narcotraficante guarda un violín Stradivarius en un
estuche de lujo. El dueño no sabe tocar. Cuando
lo saca es para enseñárselo a sus amigos.

Los calvos

Un narco del cartel del norte del Valle les ordenó a sus trabajadores que se raparan la cabeza porque había rebautizado su finca, en el Quindío, con el nombre de «Los Calvos».

Desayuno balanceado

El amigo de un traqueto fue invitado a desayunar en una finca situada en una población de tierra caliente cercana a Bogotá. El menú de ese día era carne en bistec, caldo con costilla de res, huevos revueltos y arepa. Al final le ofrecieron de beber una copa de champaña Dom Pérignon. No la recibió. Argumentando cualquier cosa, pidió una Coca-Cola.

El narco y la masajista

Un general retirado de la Policía contó cómo atraparon a un mando medio del cartel de Cali. Tenían indicios de sus andanzas, pero no conocían mucho de su vida familiar, hasta que apareció un informante que conocía a una mujer a quien el mafioso contrataba para que le hiciera masajes en el pene. El hombre padecía una disfunción sexual y alguien le contó de las habilidades de la mujer para «levantar muertos» con sus manos. El narco la llamaba cada tanto tiempo y la citaba en un motel para que le hiciera los masajes, mientras su amante en un cuarto contiguo esperaba semidesnuda a que su enamorado estuviera listo para poder tener sexo con ella. En esas andaba el día que lo capturaron. Cuando los uniformados allanaron el motel, ya estaba casi listo para la faena de ese día.

2

RELATOS

El barco y el mico

«Una vez duramos cuatro días varados en el mar porque se reventó la máquina. Teníamos a bordo 11 mil libras de marihuana que llevábamos para Haití. Antes de salir, nos dijeron que teníamos que llevar un mico para un cubano que era el contacto allá. No queríamos cargar con ese animal a bordo porque iba a joder y ninguno se iba a hacer responsable de él. El capitán también tenía sus prejuicios con los micos; decía que esos animales eran de mala suerte, que no era bueno andar con ellos en el mar. Al final nos tocó llevarlo, pero amarrado. Cuando llevábamos varias millas de navegación la máquina del barco se averió. Lo primero que pensamos fue que había sido culpa del mico. Esa noche aguantamos ahí, y al otro día, al amanecer, botamos la carga antes de que nos fueran a coger los guardacostas. No había problemas si estábamos vacíos. Como pudo se soltó el verraco mico ese y rompió el lazo, se cagó, se meó y regó por todo el barco un saco de azúcar que teníamos en las bodegas. Nosotros le dijimos al capitán que botáramos ese animal al agua, pero el tipo no nos dejó: "Ese mico no lo podemos botar porque si vamos a durar más días aquí, nos va a servir para comer: lo podemos sancochar; cogemos agua, sal y lo metemos en una olla…" No lo botamos, pero después uno de los tripulantes se puso medio loco, se empezó a preocupar porque estábamos varados, que el agua, que el sol y esas vainas. Empezó a decir que la culpa era del capitán por haber dejado subir ese mico. Le dijimos que no era culpa de él, sino cosas del destino. Hasta que el hombre se enloqueció del todo, cogió un machete y retó a pelear al capitán, que se armó con una llave de expansión. Nos metimos y los separamos. En esas anduvimos cuatro días. Finalmente, la corriente nos llevó hasta el frente de la isla de Providencia[17]. Como a las cuatro de la tarde pasó un bote y le hicimos señales con una camisa. Los de esa embarcación enviaron a

---

[17] Pertenece a un archipiélago situado en el Caribe colombiano.

la Marina, que apareció al rato y nos remolcó hasta la isla. Nos inspeccionaron a bordo y como no encontraron nada, nos registraron como náufragos. Lo primero que hicimos fue regalar el mico. Se lo llevó feliz un agente naviero. Como al cuarto día de estar en la isla, el dueño del barco mandó por la tripulación y yo me quedé a cargo de la nave. Alguien debía esperar que llegara la maquinaria de Panamá para arreglarla. Entonces me instalé en un hotel y recorrí el lugar y otros islotes cercanos. Una mañana apareció por allá el capitán de puerto y me dijo:

»—Lo espero a las dos de la tarde en la oficina.

»Cuando entré en esa oficina vi como diez bultos de la marihuana que nosotros botamos, todos llenos de agua. Los había arrastrado la marea hasta la playa. Por ser la única embarcación que pasó por allá, éramos los principales sospechosos.

»El capitán me dijo:

»—¿Usted conoce esos bultos que hay ahí?

»—Capitán, el que los conoce es usted, porque usted es el que los tiene en la oficina.

»—Le vuelvo a preguntar: ¿usted conoce esos bultos que hay ahí?

»—Capitán, excúseme, el que los conoce es usted que los tiene aquí. Yo no conozco esos bultos. Cuando usted abordó la embarcación, ¿encontró bultos?

»—No.

»—¿Entonces por qué me pregunta si yo conozco esos bultos?

»—Ésos los botaron ustedes allá afuera.

»—Nosotros no botamos nada. Además, ya todos los demás se fueron.

»—Es que usted tiene que saber de esto.

»—No, yo no sé.

»Entonces me tocó nombrar un abogado, porque el capitán me dijo que no podía abandonar la isla hasta que él no me diera permiso. Luego me salió conque había que pagarle la estadía del barco. Yo llamé al patrón y le pagamos como 700 mil pesos por la fondeada. Después pude regresar a Barranquilla. Me tocó volar del aeropuerto de Providencia al de San Andrés. Cuando el avión aterrizó en la isla vimos por las ventanillas a unos tipos que corrían por la pista. También escuchamos varios disparos. Resulta que unos tipos intentaron ro-bar una avioneta que les habían decomisado. El piloto del avión dio la orden de que nadie se bajara. Seguimos mirando por las ventanillas, y cuando vimos pasar un tipo herido, uno de los pasajeros dijo: "¿Y qué tal si un tiro de ésos le da al tanque de la gasolina y nos estallamos todos?" La gente empezó a decir: "Eso es verdad; vámonos de aquí antes de que estalle esta vaina." Se formó tal despelote que el capitán del avión tuvo que abrir la puerta y salimos todos corriendo de la nave. Todo eso pasó porque dejamos subir el mico al barco sabiendo que eso era de mala suerte.»

El Diablo y el caballo verde

«Una vez estábamos en el monte, en una caleta, zarandeando la marihuana, porque la marihuana se zarandea para sacarle la espina a la hoja. La zaranda se hacía con dos palos y un cedazo parecido al tamiz con el que se separa la arena fina de la gruesa. Cuando llegó un tipo, en un caballo blanco y con un revólver a la cintura, nosotros estábamos diciendo: "¡No joda! Ojalá no se aparezca El Diablo." Así le decíamos a un teniente de la Policía. A veces aparecían unos tombos[18] que eran bravos, que no aceptaban transar ni nada, y quemaban la marihuana y lo levantaban a uno a plomo. En esa parte donde estábamos —se llama Santa Rosa de Lima, adentro de Fundación (Atlántico)—, el terror de la zona era ese teniente. Cómo sería de terrible que le decían El Diablo. Entonces nosotros comentábamos: "¡Ojalá El Diablo no aparezca, cuadro!, porque ese man nos levanta a balín. ¡No joda! Y a correr todo el mundo." Entonces el del revólver y el caballo blanco dijo: "¡Que venga ese hijueputa para que vea que yo me agarro a plomo con ese maricón! ¡Que venga para que vea!" El man que está diciendo eso cuando comienza la plomera: ta, ta, ta, ta, ta, ta, ta… y se echa todo el mundo a correr por ese monte. Claro que nos poníamos un sitio donde

---

[18] Expresión despectiva con la que se denomina a los policías.

encontrarnos en caso de plomera. Yo me le pegué a un indiecito que conocía el lugar. Llegamos a la parte donde nos teníamos que reunir,
tomamos aire y empezamos a decir:

»—Oye, ¿el del caballo, qué?

»— No ha llegado.

»—¿El que decía que se daba plomo
con la policía?

»—Ése debe estar allá dándose plomo
con los tombos.

»—Ése es bravo. ¡No joda!, se quedó
allá dándoles plomo.

»¿Dándoles plomo? Al rato apareció
con el caballo. El animal, de blanco que era,
ahora estaba verde por las hojas con que había
tropezado, y estaba todo raspado en el cuello
por los palos del monte.

»—¡Ajá! ¿Y tú no que eras bravo, que te
ibas a dar plomo con la policía, con El Diablo?

»Era un perro flojo, un hablador de
mierda.»

Meando al tigre

«Me acuerdo de un barco que se llamaba *El Orión*. El capitán era un ecuatoriano. Cuando iba a salir se le dañó alguna vaina y tuve que estar 10 días cuidando tres bongos[19] con 30 mil libras de bareta[20]. El cuento se regó y lo supieron en Santa Marta los ladrones de marihuana, los que robaban las caletas. Esa tarde que llegaron estábamos esperando a los compañeros que nos llevarían comida.

»De pronto vimos que apareció una lancha en la oscuridad y dijimos: "¡Hey, ahí vienen los amigos; ya traen la comida!" Nada. Era una familia de negros de Taganga (Magdalena), ladrones de mercancía, a los que después los acabaron a plomo. Cuando nos asomamos pensando que eran los que iban a traer la comida, comestibles y refrigerios y la vaina, nos levantaron a plomo. Mataron a un pelao, le metieron un tiro en la garganta, y se robaron el barco. Nosotros estábamos varias millas adentro del mar, en

---

[19] Canoas indias.
[20] Uno de los nombres que se le da a la marihuana.

una zona en la que decían que había tiburones bravos. Por eso nadie se bañaba ahí, pero cuando los negros nos levantaron a plomo nadie se acordó de los tiburones: todo el mundo se tiró al agua. Yo iba nadando nervioso y me estaba ahogando. Menos mal que iba con un gordo que me decía: "¡Eche!, pero voltéate para que veas que así descansas." Y el gordo, que estaba bien gordote, ¡no joda!, estaba nadando mejor que yo, que iba tan cagado[21] que cuando llegué a la orilla todavía estaba dando brazadas. Al frente de esa playa había una montaña en la que decían que había tigres, que había leones, que había culebras. Así, descalzos, a las tres y media de la mañana, corrimos por ese monte y nos montamos en un palo. Como yo era flaco me monté rapidito, y el gordo se quedó abajo llorando. Apenas me decía: "Oye, ayúdame a subir." Como él me ayudó en el agua, me tocó ayudarlo en la tierra. Cuando estábamos en el copito del árbol, mamando frío, esperando a que llegaran los compañeros, el gordo me dice: "¡Hey! Abajo hay un tigre, abajo hay

---

[21] Temeroso.

un tigre." "¡No joda! Vamos a mearlo para que se vaya." Y nos pusimos a mear al tigre. Era miedo del gordo: yo no veía nada. Después llegaron los amigos como a las seis de la mañana y nos bajamos.»

Con las vacas al hombro

«Cuando yo andaba en el monte, en el cerro, alquilaba una mula para cargar la batería del radio. Para comunicarme con el patrón me subía a los picos altos y de ahí llamaba. En ese tiempo existía el Radio Club del Magdalena y nosotros estábamos afiliados. Recuerdo que uno se comunicaba y la llamada pasaba por repetidoras. En esa época se trabajaba con radios de dos metros: no había celulares ni teléfonos satelitales, como ahora. El cuento era que siempre había que comunicarse con claves. A un amigo, el patrón le dijo varias veces: "Hombre, no diga que es marihuana, diga que son vacas lo que está bajando." Una vez que el tipo bajaba una carga de marihuana en mula, se creció un río y no lo dejó pasar. Había que llevar la bareta a hombros por un puentecito que montaron ellos allá. Entonces, como el hombre estaba demorado, llamó al patrón y le dijo por radio: "Patrón, vea que el río se creció y nos tocó pasar las vacas al hombro." Claro, cuando los policías escucharon eso dijeron: "¡No joda! Éstos lo que traen es marihuana", y los cogieron.»

El vía crucis de El Mono

«El más teso[22] era El Mono. Comenzó llevando avioncitos con 2.000 libras a las pistas clandestinas. Él calentaba esa vaina: "¡Hey, Juancho!, estoy aquí arriba; me voy a tirar de cabeza para que me cargues los aviones", decía por el radio del avión. Él mismo llevaba la carga y la vendía allá. Así empezó el imperio de El Mono. Todo el mundo por acá se acuerda que en un mes de Semana Santa se metió veintiocho viajes de seguido. ¿Sabe cómo hizo? Sólo descansó el Jueves y el Viernes Santo.»

---

[22] Digno de admiración.

Las chanzas de El Mono

«El Mono era una recocha[23] en las discotecas. Llegaba a caballo con veinte tipos o más y le mandaba trago a todo el que estuviera allí. Cargaba con un negro todo grandote y vivía haciéndole bromas todo el tiempo y riéndose de él. ¡Le hacía pasar unas vergüenzas!

»Un día bajaban en el ascensor del edificio La Esmeralda, El Mono, otro amigo y el negro ese. En una parada se montaron tres señoras encopetadas y se pararon delante de ellos. El Mono le cogió el culo a una y la vieja volteó y le dijo: "¡Este negro, cómo se atreve a irrespetarme!", y lo cacheteó. A ellos dos no les dijo nada porque los vio bien vestidos. Otro día, El Mono mandó al pobre negro a que le recogiera un paquete en la mitad de una plaza de toros que tenía en una finca. Cuando estaba en el centro le soltó un toro bravo, ¡y arranca a correr ese hombre, y el otro cagado de la risa desde el burladero! El Mono le decía: "Negro, sube los vidrios

---

[23] Diversión, relajo.

del carro que voy a prender el aire acondicionado", y luego se soltaba un pedo bien hediondo
para que se lo oliera. Un día le prestó un Porsche
rojo para que se diera una vuelta por El Rodadero. El negro se fue en el carro, buscó una pelada[24] a la que estaba conquistando y se la llevó
para una discoteca. Al rato llegó El Mono y se
le sentó al lado: "¡Ajá, negro! Conque ésta es la
putica que te da culo y te mama la verga." Y ese
negro que echaba chispas. "¡No joda! ¡Respetá,
hijueputa!", le decía. Otra vez se fueron para un
paseo en una camioneta nuevecita, y cuando se
iban a devolver, el negro abrió la puerta para subirse y alcanzó a notar que había algo en el asien-
to. Cuando miró bien se dio cuenta que El Mono le había puesto un papel lleno de mierda. Pero
El Mono era así con todo el mundo. Montaba
en una bicicleta que valía 10 millones de pesos,
toda de carbono, y había una vieja que tenía otra
bicicleta de 300 mil pesos. La vieja se lo parran-
deaba subiendo. Y El Mono decía: "Esta vieja

---

[24] Muchacha.

como que tiene la concha[25] de plomo". Entonces a la vieja le pusieron La Conchaeplomo. Es profesora y todavía le dicen así.»

Mordieron la mano del amo

«El Mono no podía saber de pobreza, por eso era que vivía regalando dinero. Si usted hubiera visto las filas de gente que lo esperaban por las mañanas afuera de su casa o los que se le pegaban cuando estaba por la playa. Eso eran niños pidiéndole plata, señoras con fórmulas médicas, y hasta los indigentes estiraban la mano. Pero también por eso fue que las autoridades supieron de él, porque esos a los que les regaló dinero fueron los que le dijeron a la policía: "Mire que fulano regala esto o aquello." Eso lo perjudicó. Pero, aunque le parezca raro, esa misma gente lo cuidaba. Cuando veían un carro con placas sospechosas, de una vez les avisaban a sus guardaespaldas: "¡Ojo!, que hay un carro así y asá".»

---

[25] Uno de los nombres que le dan a la vagina en el Caribe colombiano.

El narcotorero

«Ese Mono era un hombre valiente. Traía toros miura de España, de 400 kilos o más, y él mismo los toreaba en una plaza de toros que construyó en una de sus fincas. A esas corridas sólo invitaba a sus amigos, a un círculo de personas cercanas a él. Me acuerdo que se metía al ruedo con traje de luces y la vaina y les hacía faena a esos animales, pero no completa: apenas unas verónicas y una que otra chicuelina. Luego dejaba la arena para que los matadores de cartel que había contratado acabaran la corrida. Lo que él hacía principalmente era rejonear. Salía con su percherón y picaba el toro con la vara. Todo eso lo aprendió de un maestro que contrató.»

Verde que te quiero verde

«Cuando mataron a Lara Bonilla[26] yo estaba en el cerro de Las Palomas. Lo mataron y a los tres días nosotros estábamos con 70 mil

---

[26] Ministro de Justicia asesinado por sicarios en Bogotá el 30 de abril de 1984.

libras de marihuana en la orilla de la playa. Yo estaba montado en una roca hablando por el radio cuando sentí que me jalaban de un pie y me fui como por un tobogán. Era la policía; nueve uniformados. Las mulas estaban a 200 metros de donde yo me encontraba parado. Los tombos me preguntaron por el resto de la mercancía y yo les dije: "Ahí hay ocho mulas y como treinta más bajando. No vayan a hacer escándalo porque se van a espantar. Yo sé que ustedes buscan plata porque son piratas." Entonces íbamos a arreglar, pero uno de los policías, un costeño que estaba borracho, levantó a tiros a las mulas cuando las vio llegar. Quedaron mulas regadas por todo ese cañaveral asoleándose de por vida. ¡No joda! Y después fue un trabajo juntar todas las que se salvaron. Tardamos como día y medio arreglando con los policías la vaina. Pedían cinco millones de pesos y tal. Entonces un teniente llamó al patrón mío y le dijo: "Vea, tiene que mandar cinco millones o le quemo toda esta marihuana." El patrón le contestó: "Rebaje la mitad y vuelva a pedir." Entonces se enverracó ese teniente y nos cogió a patadas. Después de que el patrón pudo transar con los tombos, les dijo: "Bueno, si quieren ganarse el billete les toca cargar a ustedes." Y ahí vimos a esos policías con pacas de marihuana al hombro.»

La verga y el tiburón

«El dueño de una isla de roca frente a una ciudad de la costa fue un marimbero duro. Allá tiene una casa con dos piscinas: una de agua dulce y otra de agua salada con un tiburón ni el verraco de grande adentro. El viejo acostumbra levantarse peladas por la playa y se las lleva para la isla. La vaina es que tiene fama de tener una verga con curvas, parqueaderos y hasta verrugas. Mejor dicho, ¡una mondá[27] la hijueputa! Cuando las peladas le ven esa vaina tan grande le cogen miedo y dicen que se van. Entonces el viejo ordena que las tiren en la piscina salada con el tiburón. ¡No joda! Entre la verga y el tiburón, se quedan con la mondá.»

---

[27] Pene.

La rumba verde

«Una vez mi patrón cumplió años y se fue para la discoteca donde estábamos nosotros. Unos duros lo estaban esperando pero él prefirió irse con su gente. Por ese tiempo, a él le gustaba un vallenato de Jorge Oñate que dice:

»*Mira, mi amor,*
por muy alto que vuele y se eleve el águila,
siempre regresa a su nido con precisión.

»Ese día empezamos a rumbear como a las ocho de la noche, más o menos. La policía jodía mucho por el horario. Cuando ya estábamos prendidos aparecieron los primeros dos tombos: "¡Hey, pilas[28]! El permiso, que vamos a cerrar", que no sé qué. El patrón les dijo: "Qué permiso ni qué mondá, entren", y les quitó las metralletas, las puso sobre la barra y les buscó una puta a cada uno. Al rato aparecieron otros dos y luego otros, y así, hasta que a las cinco de

---

[28] Atención.

la madrugada no había un solo policía en El Rodadero: todos estaban rumbeando con nosotros.
El último que llegó fue el teniente. Estaba preocupado porque no veía ni un policía en las playas. Cuando el hombre entró y vio a los policías
borrachos, gritó: "¡Eche! ¿Qué pasa aquí?" Y el
tipo que acaba de decir eso y mi patrón que lo
agarra por el cuello: "Teniente, usted también
para adentro, compadre." Ahí estuvimos hasta
el mediodía.»

El pateador de cocaína

«Yo me iba a embarcar en un avión, eso
era allá en la alta Guajira, en límites con Venezuela. Supuestamente yo llegaba y me iba al otro
día, pero me tocó quedarme 15 días en una finca
linda, comiendo pargos rojos grandes como un
antebrazo. Es que el mar allá era virgen y por eso
salían así de gigantes. También comíamos chi-
vo con arepa de queso. Lo único malo era que
había que bañarse en un charco de aguas estan-
cadas en el que también bebían el burro y las
otras bestias. Me dijeron que el avión era un

Titán nuevecito que venía de Cartago (Valle del Cauca) con 1.500 paquetes de cocaína. Yo iba a montarme en esa nave a patear la mercancía. ("Pateador" es el que se amarra de la cintura y, cuando el avión abre la puerta de atrás, empieza a tirar las pacas al océano con los pies.) El avión va por ahí a unos seis metros del mar y se tiran las pacas con unas bengalas de neón que cuando caen al agua se prenden. Unos tipos pasan después en unos barcos y las van recogiendo como pescados. Yo me iba a ganar nueve millones de barras[29] en cada viaje y tenía que hacer cuatro a la semana. Por fin apareció el avión. Abrieron la puerta, pusieron una escalera y se bajaron unos manes. Cuando me estaban dando la mano salió de la nada *El Cojura*, ese avión francés de guerra de la Policía que tiene la cola mocha. Los indios de allá le dicen *El Cojura*, que significa *forastero* para ellos. En la primera pasada, el "colemocha" ese abrió una camioneta por la mitad a punta de plomo. Yo me le pegué a un indio de esos a correr. Y los manes se montaron en el

---

[29] Pesos.

avión y trataron de irse como para los lados de Venezuela, pero llegó ese "colemocha" de la Policía, se paró arriba y después se les mandó de cabeza. Nosotros estábamos escuchando por radio cuando los de *El Cojura* les dijeron a los tipos que pusieran rumbo a Barranquilla. Ahí, hablando entre ellos, los pilotos del Titán y los del avión de guerra resultaron ser compañeros de la Escuela de Aviación. Si no es por eso, no les dejan botar los 1.500 paquetes en el desierto. Yo me acuerdo que después contaban que estaba un campesino en su parcelita sembrando patilla y limón y le cayeron dos pacas a los lados con 16 kilos de perico[30] cada una. Le cayó la plata del cielo. A los pilotos se los llevaron para Barranquilla y los metieron en la cárcel. A raíz de eso hubo muertos como un verraco. El encargado de transar a la policía se bebió la plata y por eso se cayó el embarque. Y me jodió a mí, porque o estuviera muerto o me hubiera ganado nueve millones de pesos en cada viaje.»

---

[30] Cocaína.

Mi primera compra

«Esto que yo te voy a contar ocurrió en los años setenta. Yo trabajaba de barman en un lugar que se llamaba Fedos Bar. Ahí llegaban los bacanes, los que mandaban la parada en cuestiones de bareta. Uno de esos manes era muy amigo mío y siempre me decía: "¡Ajá! Te voy a sacar de aquí para que comiences a ganar billete conmigo." En ese tiempo las discotecas eran oscuras y nosotros en Fedos Bar instalamos luces y sólo poníamos música rock; entonces el lugar se volvió lo último, lo que estaba de moda: iba el alcalde, iba el marica, iba la puta, iba el bacán. Corría en esos baños perico del bueno, ¡no joda!, de ese que se cae así como si fuera escama de pescado, no como las porquerías de ahora. El día que el patrón me contrató dijo: "Te voy a sacar de aquí para que comiences a rebuscarte con la bareta. Nos ayudas a nosotros a hacer los embarques y la vaina." ¿Cuál era el rebusque mío? Ser revisador: subir a la Sierra Nevada, a la serranía del Perijá[31], a Codazzi, a la Jagua del Ibiri-

---

[31] Serranía en el nororiente colombiano, en límites con Venezuela.

rico[32], y a veces subir con gente, que ahora son guerrilleros o paramilitares y que en ese tiempo eran campesinos, para comprarles la marihuana. Casi todos andaban armados, para poder asegurar la bajada de la bareta y la vaina. En esos viajes pasaban muchas cosas: a veces me tocaba montar en mula a las cinco de la mañana, yo que nunca me había montado en un animal de esos. Como era oscuro y el foquito iba adelante, me quedé enganchado del pescuezo con un palo, ¡no joda!, y la mula siguió de largo. Cuando llegamos, el tal guerrillero hizo unos tiros para que salieran los compañeros y trajeran la marihuana. El patrón me había dado una muestra de la yerba que quería comprar: "Mira, éste es el color de la bareta que vas a coger; no puedes aceptar nada que no sea de este amarillo, porque no la va a aceptar el gringo." Pero cuando llegué allá y vi como a cincuenta manes armados, con una marihuana distinta a la de la muestra, preguntando "¿Está buena?", me tocó decir: "¡Ajá!, está bue-

---

[32] Codazzi y la Jagua del Ibirico son poblaciones del departamento del Cesar.

na." ¡Qué les va a decir uno a esos manes allá arriba que está mala! Cuando llegué le dije al patrón: "Esos cachacos[33] estaban todos armados y a mí me tocó decir que era una buena bareta. Entonces, tenemos que mezclar ésta con otra".»

Marihuana con moñitos

«La marihuana, cuando se prensa, coge un color chévere. Al principio, cuando comenzamos, nos tocaba con unos moldes que nosotros hicimos. Todo era manual y hacía uno ejercicio con esos fierros. Cuando ya se coronaron como dos o tres embarques se compró una vaina que parecía una industria; ya era con plantas grandes y eléctricas. Entonces se hacían unos moldes, se echaba la marihuana ahí y bajaba un martillo que la prensaba. Quedaba del tamaño que la pidiera el gringo: rectangular o cuadrada y empacadita en papel regalo o de colores. Cuando comenzamos a "bombardear" la mercancía se le metió plástico y papel negro, uno por arriba y

[33] Expresión de la gente del Caribe colombiano con la que se refieren a las personas del interior del país.

otro por abajo. Después les hacíamos corbatines en las puntas.»

A punta de pargo rojo

«Uno empacaba la bareta, la revisaba y tocaba bajarla en mula. A veces se echaba tres, cuatro o cinco días caminando para llegar a la playa, a la parte donde uno sabía que lo estaban esperando. Cuando iba llegando con la marihuana, uno decía por radio: "Patrón, voy llegando ya con los invitados; por favor, necesito que me tenga cuatro pargos listos que los voy a invitar a comer pescado." Entonces ya sabían que se necesitaban cuatro "pargos rojos", que eran unos bongos de Taganga pintados de rojo, muy seguros para el mar, con motores diesel y que llevaban entre cinco y siete tripulantes. A cada bote de esos le cabían 10 mil libras de bareta. Después de que llegaba a la playa me tocaba montarme en esos bongos para ir y entregar la bareta al barco allá, en alta mar. Se montaba la carga y el barco se iba, pero resulta que a veces la nave iba a salir y se dañaba. Entonces, ¡mierda!, eso era un problema porque tocaba quedarse ahí, bajar la bareta y encaletarla en una playa. Cuando estaban los bongos tocaba quedarse en el mar con la marihuana una semana hasta que pudiera salir.»

Bolsa de valores

«A veces era un tipo, luego otro. Casi siempre eran distintos los que ponían la marihuana. Mi patrón en su oficina de la ciudad cogía 30 ó 50 millones de pesos y se los daba al que manejaba las montañas, al tipo que bajaba la bareta. Uno sabía que el hombre les había comprado la bareta a los campesinos en un precio y se la daba al patrón en otro. Había distintos precios para el que la compraba allá en el monte y para el que la compraba aquí abajo. Hasta había gente que la llevaba y la montaba en el barco. Entonces, una libra podía costar 500 pesos allá en el monte, puesta en la carretera donde la pudiera recoger el camión costaba 1.500, en la playa 2.000 y montada en el barco 3.000 pesos. Cambiaba de precio.»

El susto por los camiones

«También cargábamos la marihuana en camiones. Recuerdo que una vez apareció en Bogotá una conexión, unos tipos del Ejército que traían neveras para acá. Se les daba cinco millones de pesos por cada camión de esos. Se traía la marihuana de Valledupar (Cesar) o de por allá de la Jagua del Ibirico, y esperábamos a que llegaran los camiones afuera de un restaurante, en la carretera que va para Bucaramanga (Santander), para cargarlos con la bareta. La primera vez que utilizamos esos camiones el patrón me dijo: "Búscate cuarenta manes para que bultíen[34]." Yo conseguí a unos sobrinos y a varios amigos de la infancia y reuní los cuarenta. Te cuento que ahí me gané un billete, porque el patrón me preguntó cuánto valían y yo le dije que 8.000 pesos por cabeza, y mentiras: yo les pagaba 6.000. Entonces los llevé a la playa donde iba a llegar la bareta, pero a mí se me olvidó decirles que los camiones eran del Ejército. Es-

[34] Cargar los bultos.

tábamos ahí esperando, cuando se meten los tres camiones y esos hombres arrancan a correr. Ese día tocó dejar la marihuana ahí, hasta que pudimos recoger a todo el personal. Eso hubo gente que se botó al monte descalza y otros que se tiraron al agua.»

Duro de matar

«Esta vaina era una guerra. Aquí había muertos todos los días por la vaina de la bareta. Pero hubo una guerra famosa, la de dos familias guajiras. Esa guerra medio se acabó cuando llegó una alcaldesa que mandó a unos para Barranquilla y dejó a los otros acá, en Santa Marta. Antes de que se calmara la vaina hubo mucho muerto inocente. De pronto algún miembro de esas familias era amigo tuyo y tú andabas con él por la calle y les daban a los dos. Pero la historia más recordada fue la de Toño, que era duro de matar. Cómo sería que tuvieron que matarlo con un teniente de la Policía. Estaba jugando dominó en un segundo piso y vino el tombo y le dijo: "Bajá, que te voy a tirar un dato de la

familia aquella." Toñito bajó confiado y el policía le paró la metralleta en el pecho. En ese
tiempo le dieron 13 millones de pesos.»

Rollitos de 100 dólares

«Aquí se metía perico con rollitos hechos con billetes de 100 dólares. Yo y mis amigos andábamos en la rumba con esos bacanes.
Cargábamos billetes de 200 pesos nuevecitos,
que también eran de color verde, y se los cambiábamos por los de 100. La gente embalada no
se daba cuenta sino ya cuando se acababa la
rumba: "¡Ay! El billete, ¿quién me lo cambió?"
Y nosotros los teníamos encaletados.»

Se ganaba y se gastaba

«A mí me daba el patrón un millón de
pesos para que le tirara un DC-3 con 4.500 libras
de bareta. Era de esos aviones viejos que los cogían y los reformaban. Yo me iba para la pista en
la mañana, me buscaba unos negritos y empezábamos a empacar la bareta para los gringos esos.

La metíamos en bolsas negras y les hacíamos corbatines en las puntas. Después metíamos la bareta en unas tulas[35] especiales que traían ellos para poder "bombardearla". Yo compraba las bolsas, les pagaba a los negritos, a un hermano mío y a un amigo que todavía anda por ahí, y al final del día me quedaban unos 700 mil pesos, que en ese tiempo era un billete. Cuando ya había cargado el avión, me regresaba y estaba por aquí como a eso de las once de la noche. Pasaba por unas peladas en mi jeep Suzuki, dizque para ir a bailar, pero la una empezaba que "necesito 30 mil pesos para pagar el colegio"; la otra que "mira que estoy enferma", y así, hasta que me quedaba con una. Se gastaba mucha plata, así como se ganaba. Hasta que me caí con el patrón por el basuco[36] y perdí el puesto.»

---

[35] Maletines.
[36] Alucinógeno de fuerte efecto elaborado con restos que quedan de la preparación de la cocaína, a los que se les mezclan marihuana y otras sustancias.

A dos tabaquitos

«Una vez por allá en Codazzi andábamos con un tipo que tenía revólver y que decía que dizque mataba. Llegó el dueño de la mercancía y me dijo: "¡Hey! Vamos a arreglar un problema que tenemos por allá." El del revólver se ofreció; se paró y dijo: "Yo voy." ¡No joda! Lo levantaron a patadas, le hicieron comer el revólver ese por alzado. En cambio yo me quedé chévere[37] paseándome en un jeep como con cinco millones de pesos en el bolsillo. Es que en ese pueblo yo era el consentido, porque era el revisor. Los que ponían la mercancía me atendían con pura gallina criolla. Cuando iba a ver la marihuana les decía: "Esta yerba no se puede aceptar, cuadro[38], porque está mala." Entonces nos íbamos para otras partes, hasta que encontraba lo que estaba buscando. Yo ganaba con mis patrones y con esa gente. Vivía bueno. Se subía a los cerros y se apostaba con los campesinos, pero no faltaba el mañoso que decía: "La marihuana

---

[37] Pasándola bien.
[38] Compañero.

está a seis horas", y mentiras, que estaba a doce horas. Entonces, cuando uno les decía: "¿Cuánto falta?", respondían: "Estamos a dos tabaquitos." O sea que faltaba fumarse dos cigarrillos más de marihuana para llegar. Ya después me volví tan experto que les decía: "Vamos a ver quién llega primero allá."»

Aplastaron a Kalimán[39]

«Había un famoso asesino por estos lados que tenía un horno crematorio en su finca. Decían que metía vivos a los enemigos en el horno ese para torturarlos. Era tan malo que a un amigo suyo, que le decían Kalimán y que se escapó después de haberlo traicionado, lo cazó y lo amarró en una de las pistas donde aterrizaban sus aviones. Luego le pasó, estando vivo, una aplanadora por el cuerpo. ¡No joda!, dejó pegado ahí al pobre Kalimán. Al tipo ese después lo mataron en Barranquilla, le pegaron un tiro en el talón de Aquiles y se murió.»

---

[39] Valiente personaje de historietas.

Sin meter goles

«¡No joda! Yo llegué a tirar con el patrón barcos de 300 mil libras de bareta. Durábamos 10 días en alguna playa arreglándole las caletas con vainas esas de soldar. El patrón me decía: "Como coronemos esto te pongo un carro nuevo." Nunca metí un gol de esos buenos. Ellos sí. A uno lo engañaban mucho. Si tú metías un cupo de marihuana de 500 libras, la marihuana que se mojaba era la tuya y la que cogían los federales era la tuya.»

Gringo loco

«Yo viví mucho tiempo con un gringo que trajeron unos duros. Él era la "coneja" de ellos, es decir, la conexión que tenían allá arriba. El gringo ese era de El Paso (Texas), y a mí me pagaban los patrones por vivir con él y aguantarle todas las locuras que hacía. Se emputaba de pronto y tiraba la nevera desde el quinto piso, la grabadora, el televisor, todo. Con el tiempo el gringo se levantó a la hermana de mi novia y entonces nos hicimos compadres. Pero ese man era un vaquero loco, igual que los guajiros de aquí. A veces íbamos a buscar plata donde los patrones de él y nos metíamos unos plátanos verdes en la cintura para que creyeran que íbamos armados. "Yo venir por dinero", les decía, y nos íbamos con los fajos de billetes a seguir bebiendo. En las discotecas donde ponían música rock, él pagaba el doble para que le pusieran vallenatos. Le gustaba el vallenato más que a cualquiera de nosotros. Y los cantaba y todo. Pero cuando no le ponían el vallenato se bajaba los pantalones y le mostraba el culo a la gente, como el alcalde Mockus[40]. Los patrones le perdonaban todo porque era un verraco[41]. Cómo sería que llegó a meterse a los hangares de la DEA para dañarles aviones allá. Un día se lo llevaron porque de tanta rumba se enloqueció del todo y entonces trajeron de "coneja" a un mexicano que era más calmadito.»

[40] Alcalde de Bogotá. Se hizo conocido por una serie de actos simbólicos, entre ellos bajarse los pantalones ante una auditorio de estudiantes en la Universidad Nacional para protestar porque no lo dejaban hablar.
[41] Que demuestra arrojo y valor.

El marimbero que hablaba entre dientes

«Yo tuve un amigo que cuando le iba a dar la mano me decía: "Los amigos no se saludan, los amigos se abrazan", y me daba uno de esos abrazos rompecostillas. Hicimos amistad por la vaina de la bareta, porque el patrón me mandaba con la muestra adonde él. Cuando yo me iba a regresar porque no había conseguido el color que querían, me decía: "No te vayas, que yo te consigo esa marihuana." Yo inventaba cualquier historia y me quedaba. Entonces, ese día me llevaba a un putiadero y pagaba todo. Con él una vez trajimos 70 mil libras de bareta en tren desde El Plato (Magdalena) hasta un sitio que se llamaba Los Alcatraces. Nosotros veníamos adelante en la máquina tomando roncito puro. Cuando estábamos bajando la bareta aparecieron seis policías y nos cogieron a plomo. Mi amigo se bajó apenas dejaron de disparar. Pero los policías no contaban conque de cada vagón del tren también se iban a bajar familiares del hombre, toda gente de Codazzi. Eran seis policías contra trece manes armados, pero no se podían matar porque había que transar. El amigo mío le dijo al teniente: "Vamos a arreglar esta vaina, ¡no joda! ¿O tú quieres echarte bala conmigo?" Hablaba sin abrir mucho la boca, por entre los dientes, porque le habían pegado varios tiros en la mandíbula en una pelea en Codazzi. Pero esa vaina le lucía a él. Al final arreglaron y los tombos se fueron. Cuando venía por aquí en su camioneta cuatro puertas, paraba y me decía: "Móntate, que ando con dos pollas pa'que rumbiemos." (Dos pollas eran dos putas.) Y nos íbamos. Por el camino yo le decía: "¡Eche, cuadro! Vas en contravía." Y me respondía: "¿Quién te dijo que después de las once de la noche hay contravía?" Era un personaje muy bacano, pero lo mató la guerrilla. Estaba en Codazzi rumbeando en una fiesta y un hijueputa guerrillero lo mató para coger fama. Ese día el pueblo entero se rebotó. A mí me avisó el guardaespaldas de él a las seis de la mañana. El día que lo mataron estaba solo con un poco de gorreros[42], porque cuando se emborrachaba invi-

---

[42] Pedigüeños.

taba a todo el mundo, hasta les daba plata para que llevaran a la casa.»

De buceador a marimbero

«Lucho Barranquilla buceaba por plata en los muelles. Le tiraban las monedas y él se lanzaba a buscarlas para ganarse la comidita. Ahí conoció a unos gringos y pasó de vender cigarrillos y tirarse al mar a ser uno de los tipos con más plata de por aquí. Construyó un barrio completo en Santa Marta. El hombre también era amplio. Tenía un LTD[43], le gustaban los carros así. A él lo mató un primo de su mujer, en su propia oficina, peleando por un negocio. Estaban forcejeando por una pistola y el tipo lo mató. Al entierro de Lucho fue mucha gente, hubo hasta mariachis. Él era un bacán, paraba el carro y yo me le acercaba y le decía: "Lucho, estoy pelao." "Cogé ahí 2.000 barras." Fue uno de los primeros duros de la marimba.»

---

[43] Un modelo Ford de los años setenta, uno de los últimos de ocho cilindros. Era muy raro en Colombia porque, en comparación con otros modelos, consumía mucho combustible.

El efecto visual

«Una vez, el hijo de un amigo mío me vio salir del banco con 30 millones de pesos en varias tulas. El pelao se fue corriendo donde el papá y le dijo: "¡Mierda, papá! Usted tiene un amigo millonario, porque yo lo vi sacar del banco tulas de plata." Y yo sin un peso en el bolsillo. La plata no era mía, era para comprar bareta. Nosotros cambiábamos esa plata en billetes de a 100 y de a 200 pesos para llevar para el monte y que el campesino viera cantidades de dinero. En un millón de pesos el campesino veía más.»

Ranger con baño

«Había gente muy ignorante. La mujer de un marimbero vio a unos manes de un almacén montando un inodoro en el platón de una Ranger de un político de por acá, para ir a instalarlo a su casa, y la vieja salió con el cuento que dizque "Yo también me voy a comprar una Ranger con baño atrás". ¡Eche! Y se compró la camioneta y le hizo poner baño en el platón.»

Tintán, el del tum tum

«Pero también había manes peligrosos. En Barranquilla existía uno que le decían dizque Tintán. Ese tipo mató mucha gente inocente. Cómo te parece que una vez mató al cobrador de bus porque el pelado le echó agua sin querer. El tal Tintán persiguió el bus y cuando lo alcanzó lo prendió a tiros. También mató a una pelada en un baile porque no quiso bailar con él. El día que lo mataron se comió todo el plomo que quiso y luego le pasaron un carro por encima para que quedara bien muerto.»

No entendió el *up, up, up*

«Hay pateadores que ahora tienen plata. Preferían manes que pesaran poquito, porque con eso podían meter más carga. Un duro de esos de aquí se coronó como 35 millones de pesos, pero al tiempo lo mataron. Hubo otro pelado que iba tan bien: ya llevaba un récord como de veinte viajes. En el último tiraron la cocaína al mar y cuando acabó de patear le hizo al piloto con el pulgar levantado hacia arriba que *up…*, *up…*, *up*. El piloto tenía que coger el avión y subirlo un poquito y ahí sí coger la vuelta, pero la dio ahí mismo y entonces una de las alas pegó en el mar y se volvieron mierda. El pelado tenía como 22 años y era hijo de un médico de por aquí.»

De marimbero a polizón

«Antes de venir a Santa Marta estuve en los Llanos Orientales, por los lados de San José del Guaviare. Estuve durante seis meses raspando hoja de coca, pero me vine porque me estaba encarretando[44] con una pelada. Es que cuando uno se enamora en esas selvas, allá se queda. Esas hembras tienen su perfumito y su vaina. Aquí, en 1983 me monté en un barco con 16 mil libras de marihuana y cuatro cubanos. Yo era el único colombiano. Arrancamos el primero de diciembre y navegamos durante siete días. Cuando faltaban tres horas para llegar a la Florida nos

---

[44] Enredando, envolviendo.

abordó un guardacostas americano. Yo de una vez hablé con los cubanos y les dije que no me perjudicaran, que dijeran que yo era un polizón que me había escondido en el barco. ¡Imagínese qué me hubiera pasado! Yo era el único colombiano ahí. Los manes aceptaron y entonces cuando llegamos a la cárcel les dije a los policías que era una persona pobre, que mi único delito era el sueño americano; que un man que cuidaba el bote me había dicho que el barco iba para Miami, entonces yo le pedí que me dejara esconder en el cuarto de máquinas. Estando ahí, a tres horas de haber arrancado, que escuché que empezaron a tirar bultos y bultos y a llenar las bodegas. También cayeron bultos al cuarto de máquinas. Yo me aguanté tres días ahí hasta que salí llorando: que no me fueran a matar, que yo era pobre, que yo les ayudaba a cocinar y a hacer el tinto. Con esa declaración, la Policía Federal me soltó. Pasé cinco días en la cárcel y me mandaron para inmigración, donde duré nueve días más. El 22 de diciembre me deportaron para acá.»

La entrega a la DEA

«Yo me metí en una embarcación pequeña que iba para República Dominicana. Íbamos con dos amigos y llevábamos 325 kilos de cocaína. Les entregamos el cargamento a los de la DEA, que nos esperaban en un yate cerca de la isla. Nosotros no sabíamos nada sobre quiénes eran ellos. Nos recibieron la mercancía y nos dejaron regresar. Después supimos que filmaron la entrega. Los de la DEA llegaron a Miami con la mercancía, empezaron a repartirla y fue cuando atraparon como a ochenta personas. Ahí cayeron varios amigos míos.»

El Mañi y los ladrones

«Los gringos venían y traían el dinero en efectivo para hacer su compra. Entonces comenzaron a ser víctimas de asaltos por parte de guajiros salvajes. Muchos de ellos no tenían ninguna capacidad de negociar, sino que engañaban a los gringos, los hacían venir, les robaban el dinero, los radios, y quemaban los aviones. Muchas veces, cuando íbamos para Portete, a Puerto Estrella o a Castilletes[45], veíamos tres o cuatro aviones abandonados, enterrados y quemados. Ya uno sabía qué había podido pasar ahí. Si, por ejemplo, en la pista de Maticas habían coordinado que un avión aterrizara y el piloto no traía un guía efectivo que conociera la ubicación exacta de la pista y se metía en otra, venía el asalto. Porque era una conexión que no tenía vínculos comerciales con el dueño de esa pista. Había un indio al que llamaban El Mañi, que andaba a caballo por el desierto de la Guajira con quince o veinte hombres buscando las pistas clandestinas y caían y asaltaban a todos. Cuando comenzó todo ese problema de asaltar a los americanos, ellos cambiaron la forma de comerciar. Estamos hablando de los años setenta. Todo ese mundo de la marimba era como un *hobbie* aquí. Nadie pensaba que eso era un delito, ni siquiera se habían organizado grupos. El negocio era de independientes: lo hacías tú, lo hacía yo o cualquiera que tuviera una co-

---

[45] Poblaciones del departamento de la Guajira.

nexión con un americano. Hacían un grupito y se iban consolidando, pero eran grupos económicos. Todavía nadie pensaba que era un delincuente por eso; era parte del folclor de aquí. Entonces, el americano ya no quiso traer más dinero, sino que dijo: "Me la pones allá y te la pago allá".»

La segunda guerra del alemán

«Una vez yo iba a volar de pateador de mercancía, pero por estar tomando trago en la licorera de un amigo me salvé de morir en un accidente aéreo. A mí me vinieron a buscar los manes del embarque, pero alguien dijo: "No, él está tomando..." "Ya no puede viajar. Usted está borracho. Que monten al Monito", dijo el dueño del embarque. Y se fue El Monito, un muchacho al que la verdad, nunca conocí. Al que sí conocía era al piloto, un alemán que había estado en la Segunda Guerra Mundial y que acostumbraba inyectarse heroína antes de volar. Vivía aquí en Colombia y lo conocíamos porque se ponía loco con esa vaina. En los embarques quería que le echaran toda la carga que se pudiera. "Carguen esa vaina, ¡no joda!" "No, hombre, que eso ya está bueno, que no le cabe más". "Móntala, que todavía le cabe." Ese día que yo no fui, le echaron mucha carga al avión y cuando comenzó a elevarse, llevaba como unos 40 metros del piso, se vino de culo y se quemó. Los que estaban dentro salieron todos prendidos. El Monito murió, pero el piloto sobrevivió. El tipo había sufrido otros accidentes y por eso tenía platinas en los pies y en las costillas. Cuando eso pasó yo tenía un radio Halcón 20-40 que cogía cuarenta canales; fue por ahí que me avisaron del accidente del avión. Recuerdo que la orden del patrón era que el embarque había que reemplazarlo. Pero yo no quise ir nunca más. Desde eso le cogí temor a esa vaina de volar.»

Calzoncillos con correas

«¿Que cómo se "bombardea"? Bueno, se recoge la carga aquí y se entra al territorio americano por el lado del mar Caribe: por las

Bahamas, cayo Norman, las islas Caimán; no necesariamente tiene que ser territorio insular, sino en el área del mar. Antes de que las puertas del avión se abran, uno se coloca un arnés, que es como amarrarse unos calzoncillos con correas, y empieza a patear la mercancía al agua. A esos aviones les quitan los asientos para que quepa más carga. Adentro les instalan una cisterna de 500 galones de combustible y otras dos de 250 galones cada una. Con los tanques normales del avión y esos de repuesto, la nave puede volar más o menos 10 horas. Cuando se acaba el combustible de los tanques, se conectan unas mangueras con terminales a las reservas para que el motor siga trabajando.»

La ruta del café

«A toda esta gente que venía del interior, todos esos cachacos campesinos, se los llevaban a sembrar marihuana en la serranía de Amatista y cuando era el término de salir la cosecha, los mataban para no pagarles el dinero que les debían. Era gente de un nivel económico muy bajo y a veces hasta fugitivos de la justicia. Por allá, en ese tiempo, no se metía nadie que fuera sano. O era un hombre muy echado para delante o era un delincuente que venía huyéndole a la justicia. También se combinaba en aquel tiempo el contrabando de marihuana con el de café, pero éste sólo se llevaba en barco a Aruba y Curazao. La mayoría de la marihuana se llevaba en aviones, porque el apogeo de las lanchas rápidas no había llegado todavía. Eso fue 10 años después, cuando aparecieron unas máquinas de dos, tres y hasta cuatro motores fuera de borda que volaban por ese mar.»

Herederos de la muerte

«Se vieron muchas cosas estrambóticas por el poder del dinero que consiguieron algunos indios de la Guajira, con el robo de marihuana y los aviones. Tú veías indios con tobilleras de oro de cuatro dedos de anchas y un rancho de paja con tres o cuatro camionetas último modelo, sin placas, ahí estacionadas. Esos indios podían tener diez mujeres y veinticinco o treinta hijos con todas esas hembras. Porque con el poder del dinero podían comprar cualquier india bonita que vieran. Había mucho respeto entre esos salvajes. Algunos se caracterizaban por ser más violentos, más criminales, más matones que otros. Ésa fue una época dura aquí en la Guajira, por tanto dinero que se movió. Pero al final, lo que dejó aquí la bonanza marimbera fue mucho crimen, muchos muertos y muchos huérfanos.»

El capitán que se cagó del susto

«Una vez nos cogió la madrugada tratando de terminar de embarcar una mercancía en un velero. El capitán se quería ir porque ya estaba amaneciendo, estaba clareando el día y faltaba todavía más mercancía. Había un socio de ese embarque que todavía no había llevado su carga a la playa: estaba atrasado. Él pidió que le dieran un tiempo más para llevar su mercancía; le habían dado a última hora un cupo en ese embarque. Cuando llegó a la playa ya el capitán del velero estaba desesperado por irse. Un compañero y yo tuvimos que encañonarlo:

»—¡Quieto ahí! ¿Usted para dónde va con esa vaina?

»—No, que ya amaneció, que yo me voy.

»—Espérese que acabemos de recibir esa vaina. Usted no se puede ir así.

»–Pues yo soy el capitán y yo soy el que ordeno.

»—Usted lo que quiere es no ir; seguro que tiene miedo.

»Entonces buscamos otro capitán para que reemplazara a ese marica que se había cagado del susto.»

La carga del «tren de palito»

«Había un punto aquí que era de los más conocidos para cargar. Eso queda cerca del aeropuerto, en una ensenada que tiene nombre indígena. Una vez nos dijeron que esperáramos allí la llegada de unos camiones con la mercancía. Nosotros estábamos pendientes de esos camiones y como a las dos de la mañana escuchamos que venía el "tren de palito". (Así le decían por la bulla que hacía.) Era el tren que venía de Ciénaga y Aracataca[46]. De pronto se fue quedando, se fue quedando, hasta que frenó al pie de la playa. Pero estábamos esperando unos camiones, así que nos quedamos quietos. Cuando vemos que de los vagones del tren se asoman varios policías y empiezan a tirar bultos para fuera. Nosotros arrancamos a correr. Dijimos: "Hombre, esto es una trampa, una vaina rara." Entonces me llamó un tipo por el radio y me dijo: "¡Oye, hijueputa! ¿Para dónde van…? ¿Ustedes por qué van corriendo…? Esperen ahí esa vaina, que ésa es la gente encargada de llevarles la mercancía… ¿Para dónde cogieron?" Nadie sabía más de esa vaina que el tipo que coordinaba con ellos esa carga. Luego nos devolvimos y ya había gente que se había metido por los cardonales y tenía los pies llenos de puyas, de correr descalzos a medianoche por esos matorrales. Uno viendo a la policía creía que era una trampa para cogernos. Entonces, con los mismos policías nos tocó cargar el barco. Al prin-

---

[46] Municipios del departamento de Magdalena.

cipio no querían trabajar, sólo querían la plata. Entonces vino un patrón y les dijo: "Miren, hijueputas, remánguense ustedes también, métanse al agua, ¡coño!, porque eso hay que sacarlo rápido." Entonces los policías soltaron las escopetas, se remangaron, se metieron al agua y comenzaron a tirar bultos parejo con nosotros hasta la madrugada.»

¡Quietos pa'la foto!

«Por radio nos dieron la orden de que nos fuéramos con la embarcación para una playa. Estábamos esperando que llegaran los camiones con la mercancía, como siempre. Curiosamente, cuando llegaron los camiones a la playa, los que empezaron a tirar los bultos eran soldados. Esos carros habían sido decomisados días antes y los tenían allá en los patios del batallón. Esa noche vinieron, los trajeron y se los ayudaron a aliviar al paciente. Aquí era así. Decomisaban una vaina y si un mafioso se daba cuenta de que las autoridades habían hecho un decomiso de buena mercancía, mandaban un intermediario que tuviera acceso para comprar la bareta. Nunca se perdía una carga. Ahí lo que quemaban eran bultos con concha de coco y hoja de palma. Luego hacían tomar fotos y decían: "Ahí se está quemando la vaina esa que decomisamos."»

Billetes al agua

«Allí, detrás de aquella isla, estábamos un día cargando un embarque de marihuana como a eso de las diez de la mañana, cuando apareció una lancha con unos tipos de civil. Llegaron hasta bien cerca del barco, sacaron armas y gritaron: "¡Quietos ahí! Somos la policía." Nosotros nos preguntábamos: ¿pero por qué esto, si ya todo está arreglado? Después aparecieron por la orilla de la isla otros policías, pero uniformados. Entonces se armó el tiroteo. Menos mal que el que llevaba el dinero botó como cinco millones de pesos al mar. Cuando los tombos vieron toda esa plata se tiraron al agua de una. El capitán del barco dio la orden de arrancar y ellos se quedaron ahí sacando la plata.

Después le explicamos al patrón lo que tuvimos que hacer con el billete para poder salvar la carga. El hombre nos felicitó.»

Odisea marimbera

«Después del atraco en alta mar llegaron los compañeros. Entonces cogimos la marihuana que se salvó y dijimos: "Bueno, aquí no hay más que esconderla en los cerros de ese islote." Para llegar allá teníamos que meter el barco por una ruta llena de piedras y vainas. Los de Taganga, como conocen tanto el mar, sabían cómo meterse ahí, así que nos metimos. Buscamos unos esteros, unas partes en las que para meterse se tiene que saber maniobrar para que la hélice del motor no pegue contra las piedras. Era una trampa para que el que se fuera a robar la marihuana se encallara ahí. Bajamos la bareta del barco y la subimos hasta la cima de esa montaña. Allí encontramos a un tipo acostado y dormido como en cincuenta pacas de marihuana, con una pistola en la mano, junto a un peladito que también estaba dormido. Como los que fueron a rescatarnos eran bandidos, uno de ellos dijo: "¡No joda! Vamos a matar a este hijueputa para robarle la bareta y se la vendemos a tu patrón." Yo no dejé que mataran al tipo, pero le robaron la pistola antes de que se fuera. El peladito se quedó y los tipos lo cogieron de cocinero y para que les lavara la ropa en agua salada. Después yo llamé al patrón y le conté todo lo que nos había pasado; cuando le dije de la marihuana y del tipo que habíamos encontrado, me dijo: "Hay que averiguar de quién es para no meternos en problemas y comprarle la bareta a esa gente." Ahí en ese islote comíamos unos caracoles que sacábamos del mar. ¡Deliciosos! Les metían fuego por debajo de la concha y el animal salía a flote. Era una vaina rica, ¡no joda! Allá, con esos pistoleros me tocó vivir como un mes, cuidando la bareta con ellos. Esos tipos salían de pelea de noche o de día por cualquier pendejada, y como estaban todos armados se querían matar. Me tocaba meterme y echarles carreta[47]: "¡No joda! No se vayan a matar, que

47 Conversación.

esa vaina nos va a perjudicar." Hasta que por fin vinieron por nosotros y pudimos salir de allá. Pero a los tres días de estar navegando se cayó el barco. Mandaron un capitán cagado[48], de esos capitanes de barco que no pueden ver una gaviota volando porque creen que es un avión que los está persiguiendo. Hay capitanes tesos[49], capitanes que pueden tener un guardacostas grande atrás y tratan de perdérsele…

»Se sufría bastante pero se ganaba billete.»

El recuerdo de Lucho

«Yo sé que Lucho Barranquilla le prestó plata al Municipio de Santa Marta en 1976 para pavimentar toda la zona de Los Almendros. También sé que el Municipio le devolvió el dinero, pero que él no cobró intereses. Ahí mismo construyó como cincuenta casas y un edificio donde tenía una oficina para atender a los po-

---

48 Cobarde.
49 Valientes.

bres. Recuerdo que el primer día llegaron como seis mil personas; pedían cemento para acabar su casa, tejas de zinc para los techos, llegaban con fórmulas médicas… La oficina la atendía una secretaria y un contador que Lucho había contratado. Por eso es que la gente aquí lo quiso tanto.»

El Chevrolito

«Juan Billetes era un marimbero de Camarones (Guajira), que hizo fama porque cada que llegaba a su pueblo tiraba dinero por las ventanillas del carro. Cuando lo veían llegar por la carretera destapada, el pueblo entero salía a las calles a atrapar los billetes. También fue muy famoso por la cantidad de mujeres que tuvo. Yo me acuerdo del día que se sacó a la mujer número siete de la casa de sus papás. Ella le había dicho que sólo se iba con él en un carro nuevo, recién salido del almacén. "¡Ajá, mujer! Mira que este carro está recién comprado. Anda, móntate", le dijo Juan Billetes. "No me importa, si me salgo de la casa es en un carro nuevo, de esos que tienen todavía el plástico en los asientos", le contestó la mujer. Así que me tocó ir a Barranquilla al concesionario donde el hombre compraba sus carros a sacar uno nuevo. Cuando llegué no encontré más que un Chevrolet 350 con furgón. Habían vendido todo. Así que me fui otra vez para ese pueblo con el camión. El hombre que me ve llegar y: "¡Ajá, primo! ¿Qué pasó? ¿Por qué trajo ese chéchere?" Yo le contesté que era el último que quedaba. Entonces el hombre le dijo a la mujer: "¡Mira! Éste tiene los plásticos en los asientos. Te vienes conmigo." Y la mujer aceptó. A la madrugada salimos de ese pueblo en el camión.»

El hombre que mató una moto

«En Barranquilla había uno al que le llamaban Lucho y que pregonaba ser el pistolero preferido del narcotráfico. Yo siempre creí que era presunción suya, porque hay gente así de loca. Y Lucho andaba con una ametralladora inmensa guardada en un estuche de violín, que llevaba debajo del brazo. Así se presentaba en todas partes, en los restaurantes, en los cines, y ponía el estuche ese donde fuera. Nunca la usó, que se supiera, salvo una vez que iba por la calle con su estuche inseparable, y un muchacho, un adolescente alocado, venía en una motocicleta de alto cilindraje, esas de competencia, y casi lo atropella. Este hombre la emprendió contra ese muchacho, que estaba muerto del susto. Abrió el estuche, sacó la ametralladora y le dijo: "A ti no te voy a matar, pero a la motocicleta sí", y la perforó a tiros. Hasta donde llega mi información, el único muerto que se le puede atribuir al tal Lucho es la motocicleta esa.»

Fumigando con Coca-Cola

«A propósito de excentricidades, uno de esos narcotraficantes sembró en la Sierra Nevada de Santa Marta una cosecha de marihuana, pero vino un verano que comenzó a resecar las hojas y a destruirlas. Yo no sé quién diablos —algún agrónomo de los que pelechaban[50] de eso,

---

[50] Vivían.

que le sacaban dinero por el consejo— le dijo que había un producto que aplicado sobre los sembrados de marihuana impedía que el verano más fuerte, más inclemente, dañara las hojas. Ese producto era la Coca-Cola; porque se supone que es melosa. Estos locos, aunque usted no lo crea, tanquearon avionetas con Coca-Cola. Hubo una escasez de la bebida en la costa atlántica porque compraron todo el surtido, tanquearon las avionetas y fumigaron con Coca-Cola como 200 ó 300 hectáreas de marihuana sembrada en la Sierra Nevada, para evitar que se resecaran las hojas. Moraleja: el primer glifosato de Colombia fue la Coca-Cola, con propósitos distintos: a cambio de destruirla, la preservaba.»

La muerte del acordeonero

«Una de las crónicas más estremecedoras que yo haya leído en mi vida la escribió un viernes en la noche un joven periodista de Barranquilla que era compañero mío en *El Heraldo*. Dos músicos muy pobres de un pueblo cercano a Barranquilla vinieron a ganarse unos centavos. Se vinieron en un bus de su pueblo con un acordeón y una guacharaca[51]. Eran tan pobres que el acordeón lo habían envuelto con una toalla para que no se le saliera el aire por el fuelle, que estaba roto. A las siete de la noche no habían ganado un centavo. Entonces se fueron para la estación de buses, la vieja terminal de Barranquilla que se llamaba La Nevada y que estaba rodeada de bares y griles. De pronto los músicos campesinos deciden meterse en un bar de esos a tocar y se acercaron donde estaban dos "lavaperros"[52] ya borrachos, dos subalternos de marimberos. Los músicos pensaron: "Aquí hicimos el día." Comenzaron a tocar vallenatos y uno de los borrachos les dijo: "Tóquemele la canción que le acaban de componer a mi compadre fulano." Lo que le digo: malas canciones vallenatas dedicadas a los narcotraficantes. Y estos músicos dijeron: "Señor, nosotros no sabemos sino la música vieja." Y se levantó el

---

[51] Instrumento musical consistente en una caña a la que se le labran estrías que se raspan rítmicamente con un alambre.
[52] En la pirámide del narcotráfico, quienes ocupan el último lugar. La expresión nació en la costa colombiana para llamar a las personas que los sábados lavaban los perros de las familias adineradas.

hombre y les pegó un tiro a cada uno. Terminaron muertos ahí unos tipos que intentaban ganarse unos pesos para devolverse a su pueblo. El relato de eso salió al otro día en *El Heraldo*. Es una crónica de Sigifredo Eusse, que hoy es actor de teatro y periodista.

»No sólo había excentricidades pintorescas; también había tragedias como ésa.»

Protesta marimbera

«Ahora, si usted me pregunta cuál fue la más extravagante de todas las excentricidades, es muy difícil escoger. Pero que yo recuerde, hubo una que ocurrió después de publicada mi novela *La mala hierba*[53], que me pareció asombrosa, y que le mostrará a usted el modo como se movía ese mundo. Salió mi novela y por casualidad yo me vine a vivir a Bogotá, a trabajar en Caracol[54]. Recién me habían comprado la novela para hacer dramatización de eso y por aquellos días

[53] Escrita por el periodista colombiano Juan Gossaín y publicada en 1980.
[54] Cadena Radial Colombiana.

volví a Barranquilla a hacer un trabajo periodístico. Iba por una calle solitaria cuando vi venir a uno de los personajes de la historia, que en la novela aparece con un nombre distinto. Lo vi venir en una actitud agresiva, manejando un carro convertible, y dije: "Este hombre me mata aquí." El hombre paró el automóvil y me ordenó: "Súbase al carro." Yo, que lo conocía, me subí, y el tipo empezó a dar vueltas. De pronto me dijo: "¿Usted cree que hay derecho a que a una persona como yo, que fui el pionero del transporte de marihuana hasta los Estados Unidos, que fui el que inventó lo de llevar marihuana en las llantas del tren de aterrizaje de un avión, ni siquiera se le haga el acto de justicia de poner su propio nombre cuando se habla de eso? ¿Usted cree tener derecho de ocultar que yo fui el que hizo eso?" Es decir, aquélla era la mayor de todas las excentricidades. Estaba reclamando su autoría, que era exactamente lo contrario de lo que yo pude haber pensado que quisiera. Después, parqueó su carro y me dijo: "Bájese. Quería que supiera que yo estoy indignado porque usted no puso mi nombre completo."»

Picasso y Dalí entre caballos

«A los dos o tres meses de haber publicado la novela *La mala hierba* empezaron a aparecer todos los que tenían información. Lo que siempre ocurre: "...si yo hubiera sabido que tú ibas a..." Y me daban todas las informaciones del mundo, entre ellas una que me dejó pasmado. No la creí: me pareció tan desproporcionada, tan desmedido el caso, que no la creí hasta que me demostraron que era cierta. En Barranquilla, uno de los capos del envío de marihuana a los Estados Unidos compró un palacete en el sector más costoso de la ciudad, en el Alto Prado, y construyó un establo en el patio porque tenía caballos de paso y de equitación. Un día en Nueva York —entonces no había extradiciones— pasó por Sotheby's. Iba con una sobrina que hablaba inglés y ella le explicó que ésa era una casa de subastas. El hombre entró y participó en la subasta. Compró un Picasso y un Dalí. Llegó orgullosísimo a Barranquilla con sus cuadros debajo del brazo, cuidándolos. En la casa su mujer le dijo: "El que pintó eso no sabe pintar. Ese hombre...

Picasso… eso son unas rayas. Pinta como mis hijos…" Y los dos cuadros terminaron en la pared del establo porque la mujer no los dejó poner en la sala, ni en el dormitorio, ni en el comedor ni en el estudio. Cuando, tiempo después, aquel hombre escapó, fuimos a la casa, que ya estaba en ruinas y abandonada, y ahí estaban el Picasso y el Dalí en donde había sido el establo, entre pesebreras y comederos de caballos.»

Colegio de utilería

«Uno de estos jefes del tráfico de marihuana tuvo problemas para que le recibieran a sus hijos pequeños en los mejores colegios de Barranquilla. Argumentaban razones de dignidad. Entonces el hombre hizo construir un colegio dentro de su propia casa. No era que hiciera ir a un instructor para que les dictara clases a los niños, no. Construyó un colegio completo en el inmenso patio de su casa. Para dar la apariencia hizo construir seis o siete salones y puso en los marcos de las puertas letreros que decían: quinto año, sexto año, laboratorio de química… Eso era como la utilería de televisión: de la puerta para dentro no había nada. Había un solo salón donde sus dos hijos estudiaban. ¿Sabe a qué se parecía eso? A la historia de la película *Ana y el rey de Siam*, en donde el rey hace construir un colegio para sus hijos. A diferencia de que esto fue real y ocurrió en Barranquilla.»

Cobro con pistola

«Ésta es la historia de esos sembradores o traficantes de marihuana, esos campesinos a quienes lo primero que se les ocurrió fue comparar las casas de los ricos, las viejas y venerables mansiones de Barranquilla, y se presentaban donde los dueños y les decían:

»—Señor, ¿cuánto vale su casa?

»—Mire, mi casa no está en venta.

»—Es que no quiero saber si está en venta o no. Sólo que si usted la fuera a vender, ¿cuánto valdría?

»Obviamente, los dueños exageraban el precio (estoy hablando más o menos del año 75):

»—Vale 100 millones de pesos.

»—Si tuviera que desocuparla en el acto, ¿cuánto cobraría?

»—No, es que yo no la puedo desocupar.

»—No, no, suponga.

»—Ciento cincuenta millones.

»—Aquí tiene 300 y se va esta tarde.

»—Pero mire, es que ese piano de cola fue de mi abuela y lo trajo de Europa por el río Magdalena…

»No me importa, también quiero el piano para presumir ahí de adorno. Tomé 300 y se va.

»Y se iban y dejaban la casa.

»Hoy en día, en la ruina —eso sí que es de novela—, los hijos o nietos de ese comprador han vuelto armados donde el antiguo dueño de la casa y le han dicho: "Usted estafó a mi papá. Usted mismo le dijo que su casa valía 150 millones y le cobró 300. Le doy un mes para que devuelva el resto, porque estoy arruinado, o le pego un tiro. Estoy desesperado." Y conozco personas que han tenido que devolver la diferencia ante el riesgo de que les hagan daño. Son narcotraficantes de marihuana ya arruinados, de la segunda generación, que están intentando recuperar unos pesos por donde sea. Es decir, eso se podría llamar el epílogo del narcotráfico. Y algunos de estos barranquilleros han tenido que volver a vivir en sus antiguas casas, devolviéndoles la diferencia, y han encontrado el piano destripado, si es que existe, y las fotos de la abuela rotas o cambiadas.»

Cancha de tenis sin estrenar

«Una vez la policía me llevó a una casa que estaba al lado de un riachuelo. Quedaba por allá por Doradal (Antioquia). Me acuerdo que tenía un puente de madera con techo y barandas. Al otro lado había una zona verde con sillas y mesas y todo lo que se necesita para hacer asados. Cerca de ahí había un círculo de cemento pintado de blanco con una hache en la mitad. La casa era de dos plantas y los pisos eran de mármol. Me acuerdo que las llaves de los baños eran de oro y que en el clóset del cuarto principal, que medía unos cuatro metros de largo, había diez pares de zapatos marca Bally sin estrenar. Salimos a una terraza y desde ahí vimos una cancha de tenis rodeada de una malla. Parecía que nunca hubieran jugado en ella porque se veía el pasto creciendo por las uniones de las placas de cemento. La policía dijo que la casa era de Pablo Escobar.»

Visitando a los Beverly Ricos

«Yo recuerdo que los traquetos hacían mapas de Colombia con esmeraldas. Compraban de esos mapas que ocupan los estudiantes, los recortaban, los empapaban con Colbón[55] y regaban ahí encima las esmeraldas. Luego, dejaban que se secara, lo pegaban sobre un tablón o cartulina gruesa y lo mandaban enmarcar. Esos cuadros los colgaban en las oficinas y en algunas casas. Había gente que hacía lo mismo con cuadros de los departamentos donde nacieron o con el nombre de sus enamoradas o de ellos mismos. Causaba extrañeza ver esas cosas en lugares repletos de muebles costosos, cuadros de va-

---

[55] Marca de un pegamento.

rios millones, jarrones finísimos y porcelanas importadas. Era como ir a visitar a los Beverly Ricos[56].»

Matta Ballesteros de compras

«Una mañana llegó un tipo con un acento muy raro (sonaba como costeño con santandereano). El tipo estaba como amanecido y yo, que ya sabía de las farras que se tiraban esos personajes, no dudé en atenderlo como a un patrón, que es la mejor manera para referirse a ellos cuando uno los trata. El hombre me pidió que le enseñara ropa y rápidamente me di cuenta de que le gustaban las pintas llamativas, los colorines. Yo estaba desconfiado, pues el tipo no le hacía el feo a nada que le enseñaba y terminó por llevarse todo lo que le mostré, sin fijarse en el precio. Me pagó con dólares buenos y después me preguntó por la loción que yo usaba, una Calvin Klein. Lo llevé a una perfumería y ya no

---

[56] Comedia estadounidense sobre unos campesinos que se hicieron ricos de la noche a la mañana porque encontraron un yacimiento de petróleo en su finca.

lo vi más hasta esa noche, cuando apareció su rostro en todos los noticieros. Decían que era uno de los más importantes narcotraficantes de Centroamérica y que se había volado esa mañana de la cárcel. Era un tal Matta Ballesteros[57].»

Don Jairo y los lavaperros

«Me acuerdo de un cliente que gastaba dinero como loco; le decían don Jairo. Siempre estaba con mujeres muy lindas y sólo bebía whisky Buchanan's. Se la pasaba contando historias. Un día nos contó que le había tocado quemar una avioneta que costaba como 600 mil dólares y que le producía ganancias semanales de un cuarto de millón de dólares, porque se le pinchó una llanta cuando aterrizó en una pista clandestina en el Perú. La pista dizque estaba a cargo de un militar de ese país que le dijo al piloto que le daba diez minutos para despegar o si no la cosa se iba a poner muy fea. El piloto llamó a don

---

[57] Juan Ramón Matta Ballesteros, narcotraficante hondureño actualmente preso en los Estados Unidos.

Jairo y le contó lo que había pasado. El hombre ordenó meterle candela al aparato y pisarse[58] de ahí. Todos los que trabajábamos en ese almacén creíamos que don Jairo era un duro, hasta que una vez fue con un ejército de guardaespaldas y él apenas lucía como uno más. Todos rodeaban a un hombre canoso muy bien vestido al que, incluyendo don Jairo, le decían "patrón". El hombre fue al almacén pensando que iba a conseguir ropa italiana de los grandes diseñadores. Como nosotros no vendíamos nada de eso, dijo: "Muchachos, vámonos. Aquí sólo hay ropa para lavaperros."»

De narcos y esmeralderos

«Hay una gran diferencia entre los narcotraficantes y los esmeralderos[59]. Los narcos trabajan para gozar el dinero, lo gastan en mujeres, en rumba y en viajes; mientras que muchos de los esmeralderos ni siquiera conocen el mar,

---

[58] Irse.
[59] Comerciantes ilegales de esmeraldas.

ni aspiran a conocerlo. Lo de ellos es algo relacionado con el poder y, claro, con la guerra. Siempre están hablando de sus muertos, de la gente a la que han matado. Una vez atendimos a un tipo al que no se lo podía mirar a los ojos; tenía una mirada horrible. Nos contó que en esa semana había matado a un "desechable"[60] por allá por Quipama (Boyacá), porque según él, matar le daba buena suerte al corte, o sea, al terreno donde se extraen las esmeraldas. También nos contó que a veces tomaba sangre de gato, porque le daba más fuerza y valor. Esa misma costumbre se la vi a los sicarios de Aranjuez[61], que también tenían la costumbre de besarles los pies a los cadáveres de los malos. Una vez en el almacén atendimos a un traqueto que usaba un corbatín de oro con incrustaciones de piedras rojas. Era bien pintoresco, siempre iba en busca de ropa de lo más estrafalaria posible. Un día nos compró una chaqueta horrible llena de colorines y con incrustaciones de cuero, y para colmo de males, la cha-

---

[60] Mendigo que vive en las calles.
[61] Barrio de la Comuna Nororiental de Medellín.

queta era de mujer. Nos dijo que la compraba porque nunca iba a poder reponer una chaqueta muy linda que tenía lucecitas y que funcionaba con pilas. Ese tipo tenía el único modelo de Mercedes Benz que abría las puertas hacia arriba. Un día un tipo que a veces andaba con él nos contó que al personaje del corbatín de oro lo habían descuartizado en la bañera de su apartamento.»

Cantante en apuros

«Una vez un tipo nos contó que su patrón había hecho una fiesta de cumpleaños donde la estrella era una famosa cantante colombiana de música romántica, a la que le pareció obsceno que el hombre de confianza del narco saliera con un delantal que se levantaba para mostrar un pene postizo, de esos que venden en las casas de bromas. Los invitados se rieron mucho de la gracia del tipo, pero a la cantante no le gustó y no quiso cantar más. Entonces, el tipo del delantal se le paró por detrás y le dijo: "Cantá, hijueputa, que a mi patrón no le hace el feo nadie."»

Muerte en el baile

«Por allá iban a comprar los trabajadores de don Leonidas. A todos les tenían apodos: Perche, David Pocapena, Coné y Pedro, que era el más asesino de todos. A ése lo mataron por allá en Boyacá en una cantina, porque a otro no le gustó una canción que había puesto en la rockola. Esa gente sí era brava. El tal Perche era grandísimo y feo; le decían así porque se parecía a los caballos percherones. Siempre iba vestido con trajes de seda fría, que se le veían horribles porque se llenaba de balas los bolsillos de la chaqueta y claro, como era una tela tan delgadita, se le deformaba. Ése, en compañía de otro, entró a una fiesta y mató a la niña que estaba cumpliendo 15 años porque no quiso bailar con él. Lo contaba como si fuera una hazaña.»

Zapatos de golf

«Me acuerdo que en Aranjuez uno de esos matoncitos de moto se compró unos zapatos de golf. Se la pasaba molestando a todo el mundo. Como en ese tiempo no hacían en Medellín pantalones con diseños e incrustaciones, y el tipo quería sobresalir, se compró esos zapatos para verse diferente de todo el mundo. Es que los traquetos y toda esa gente que se hizo rica y poderosa de la noche a la mañana querían que los demás se fijaran en ellos, así fuera por su manera estrafalaria de vestir.»

Las modas de los traquetos

«A mediados de la década de los noventa en Medellín se rompieron los esquemas de la moda. Salieron al mercado marcas como Laos e Indian, que proponían algo diferente: cosían los jeans con cáñamo y no con el hilo convencional. Luego les metieron incrustaciones de cuero en las botas de los pantalones, desde el bolsillo hasta la rodilla o hasta el tobillo. Ésa fue la ropa favorita de los traquetos y de los sicarios. Al principio eran simples incrustaciones con figuras en hilo, pero después llegaron hasta el punto de hacer pinturas a mano sobre cuero de marrano que decían que era el mejor porque duraba más y tenía mejor presentación. Esos pantalones los combinaban con camisas de seda fría de estampados grandes y coloridos. Luego vino el rayón de marcas como Café y Sangi. Con esa moda muchos se hicieron ricos: los diseñadores de Medellín con sus jeans y los merqueros[62] de Sanandresito[63] trayendo camisas de esas de Los Ángeles y Nueva York. También traían correas metálicas como las que usaba Michael Jackson cuando estaba en su apogeo. Los traquetos se ponían esa ropa con zapatos sin medias; preferían los italianos de marca Stracam, como los que usaban los detectives de la serie *Miami Vice*. Una de las reglas cuando los manes se ponían esas pintas era que debía verse la cacha de la pistola o del revólver.»

Las dos caras de la fiesta

«Los mafiosos de Medellín en los años setenta llegaban a un restaurante y preguntaban:

---

[62] Vendedores de mercancía, especialmente de ropa y electrodomésticos, productos que suelen ser de contrabando.
[63] Centro comercial de vendedores informales.

"¿Cuántos hay aquí? Paguen la cuenta y échenlos, que esto queda de cuenta de nosotros." Casi siempre llegaban a mostrar su poder a través del dinero. Eso se veía mucho. Incluso hubo gente que llegó a decir que le gustaba ir a Las Palmas los viernes porque cabía la posibilidad de que, después de tomar licor un buen rato, los mafiosos pagaran las cuentas. Eso se da mucho en las tabernas y las cantinas de Medellín. Ésa es la parte positiva, pero la parte negativa es que también llegaban por la carrera 70, miraban a una niña que estaba con el novio y le decían al guardaespaldas: "Tráigame a la niña." Y la traían a la fuerza, y por supuesto que la terminaban forzando a que se fuera con ellos. En eso sí eran, como dicen los españoles, atorrantes.»

La plaza de toros cuadrada

«Un paisano mío, cuyo nombre omito, fue el único en el mundo que construyó una plaza de toros cuadrada (todas son redondas). Se llama La Rinconada y queda en Girardota (Antioquia), en una finca de recreo donde se criaban caballos y toros. La inauguración fue con bombos y platillos y asistieron casi todos los periodistas antioqueños. Hoy es un monumento inservible.»

Trovadores y voyeuristas

«A los mafiosos de aquí de Medellín les gustaban los trovadores y los humoristas paisas. Se los llevaban para las fincas. Había favoritos, incluso gente que salía en televisión o en programas de radio, y otros que no tenían tanta fama pero que sabían trovar. También se llevaban a las mujeres más bonitas. A casi todas las que se llevaban a las fincas no les pedían que tuvieran sexo con ellos, sino que hicieran el amor entre ellas. Disfrutaban viendo cómo se amaban las mujeres. En cuanto acababan, se integraban a la fiesta. Eran muy voyeuristas y eróticos en eso. Tenían gustos como los de los romanos. Parece que quien inauguró todo eso fue Gonzalo Rodríguez Gacha, *El Mexicano*.»

Rarezas de El Mexicano

«Las construcciones no eran tan osten-
tosas, sino los aditamentos: por ejemplo, en las
fincas de El Mexicano las manijas de las puertas eran de oro y el papel higiénico estaba adornado con angelitos de Botticelli. Recuerdo que
uno de ellos decía que el caballo era el animal
más noble; todos parecían pensar lo mismo. En
la finca "Chihuahua" que queda en Pacho (Cundinamarca), El Mexicano le construyó al caballo
un cuarto aledaño al suyo. Amaba a los caballos.
Alguna vez le incautaron uno fino pero logró hacer un cambiazo: pagó para que le devolvieran
el suyo y dejó otro. Es que El Mexicano era muy
excéntrico.»

Genes de astucia

«Hay una anécdota de Pablo Escobar
que es simpática y que demuestra que su astu-
cia era hereditaria. El abuelo de Pablo, don Roberto Gaviria, era de un pueblo que se llama La
Guaca. Era un gran contrabandista de whisky

en la época de la "tapetusa[64]". Como la policía los vivía persiguiendo, don Roberto traía la carga de licor en ataúdes, simulando que eran entierros; y mentiras, que eran las botellas de trago.»

Sin cerebro

«En la subcultura de la mafia, la belleza de la mujer es para mostrar. Es preferible que no hablen, pero que sean despampanantes, así por dentro no tengan nada; mejor si no tienen neuronas. Pero, además, que sean bobas, que no sepan con quién se meten. No importa tanto que sean temerosas de los capos como que no tengan cerebro. Para que las niñas no los "sapearan[65]" contrataban personas que estaban pendientes de ellas, pero las mujeres colombianas siempre fueron muy fieles y leales. Se supo de una oferta que le hizo la DEA a Griselda Blanco de cinco millones de dólares para que contara toda la historia

---

[64] Aguardiente casero.
[65] Delataran.

de la mafia, pero ella dijo que prefería quedarse sin un peso y no contar nada.»

El centro comercial de las amantes

«Ese edificio de allá es el típico centro comercial de Medellín que nunca jamás despegó ni va a despegar, porque fue el centro comercial construido por los mafiosos para regalarles locales a las mocitas, a las noviecitas. No necesitaban vender porque vivían bien y nunca aprendieron a trabajar. ¿Sabe una cosa?, ellas todavía sueñan con conocer a un billonario.»

El estatus de los narcos

«A ellos les gusta todo lo que sea poder: eso está ligado a buenos carros, buenas motos, bonitas mujeres. La comida para ellos no es tan importante. Imagínese que el plato favorito de Pablo Escobar era plátano maduro con huevo y arroz. Cuando hacían fiestas, lo que más importaba era que quien fuera se llevara un regalo, un recuerdo. En esas fiestas tomaban los mejores whiskies, pero no porque les apeteciera sino porque es el trago más caro. Yo recuerdo que en una fiesta se destaparon varias botellas de Buchanan's, de Chivas Regal. Es decir, el estatus lo da el destape. Por eso no toman aguardiente, porque así le están diciendo a la gente que eso no es de su estatus.»

El Caballero que no era caballero

«Lo que preferían eran los cuadros de esas gordas horribles con sombreros de plumas. Los mafiosos empezaron a comprar obras muy malas y muy caras, pero sobre todo, malas. A ellos les gustaba todo lo que fuera exagerado y falso. Les encantaban las mujeres de tetas colgando, los pájaros, los atardeceres, pero todo era como de mentira; incluso los paisajes tenían colores inverosímiles. Había una señora en Medellín que retocaba los cuadros de Luis Caballero[66]: les tapaba el pipí o les ponía un velo, porque ellos,

---

[66] Pintor colombiano (1943-1995), quien dedicó buena parte de su trabajo al dibujo de desnudos.

tan machos, tan llenos de armas, no podían parecer maricas. Hay el cuento famoso de un señor que iba a hacer una comida para mostrarles a sus amigos un Caballero buenísimo que había comprado. Llegó la mamá aterrada y le preguntó: "¿Qué es eso, mijo?" Él le dijo: "Un Caballero." Y ella contestó: "No, mijo, un caballero nunca se sienta así."»

Falsos e indolentes

«Los mafiosos también compraban cuadros falsos. Había un copista de Obregón[67] maravilloso, Herrán, que era mucho mejor que Obregón. Yo preferiría tener un cuadro de Herrán que uno de Obregón. Pero los mafiosos, en general, no diferenciaban, no les importaba la idea de "original". Ellos también tenían Mirós y Picassos porque en Nueva York les pagaban con obras de arte algunos de sus cargamentos. Todas esas obras de arte y casas están huérfanas: no tienen y nunca

---

[67] Pintor colombo-español (1920-1992). Pese a que uno de sus temas recurrentes fue la violencia, su obra está llena de color y vida.

tuvieron dueño. Ellos no eran dolientes de las cosas. Además, esas obras nadie las quiere tener ni comprar. En general, a los mafiosos les gustaba todo lo falso. Por ejemplo, unos tacones que no parecieran tacones sino que estuvieran tapados con una especie de cortinita. Lo mismo pasaba con las obras de arte: querían desnudos pero cuyos cuerpos parecieran perfectos, como no son en la realidad.»

Piscinas de ping-pong y peluche

«Yo estuve en la finca de un mafioso en Santa Fe de Antioquia. La piscina estaba llena de bolas de ping-pong. En el almacén Éxito no debió quedar una sola bola de esas. Yo dije: "Eso sí, me meto porque me meto." El agua, claro, estaba helada por debajo y uno salía todo lleno de bolas de ping-pong. Conocí otra piscina que parecía un peluche. ¡Qué asco! Quién se iba a bañar en una piscina así. No podía ser una piscina normal sino que los baldosines tenían que estar pintados con efecto de peluche. Ésa era su estética, que correspondía, también, a la generación de unos nuevos valores. La austeridad y tacañería paisas dejaron de existir.»

Gusticos

«Recuerdo que comenzó a gustar mucho el plástico y lo que brillaba. Ellos eran extravagantes, exagerados en todo. Yo conocí una casa con un sofá de cuatro metros traído de Italia: era de cuero pero parecía de plástico. En otra casa, la señora había puesto un tapete color verde impensable: era un verde casi imposible para un tapete, pero, además, tenía tumultos, morros. Daba susto pararse ahí. Era un tapete como con geografía.»

La hora en las orejas

«Yo vi en un entierro a una mafiosa con aretes con reloj: en uno daba la hora de Londres y en el otro, la de Bogotá. Y ella ni siquiera podía ver los relojes.»

Caviar y chicharrón

«Yo fui a una fiesta de una quinceañera. La comida era excesiva: había morcillas y chicharrones en grandes cantidades, y en una esquina, caviar. Mi amigo y yo nos devoramos el caviar que nadie volteaba a mirar. Parecíamos más mafiosos que los de la fiesta.»

¡Cuidado con el niño!

«Una vez me preguntaron si quería ir a la finca de Pablo Escobar. Yo dije que claro que sí: me mataba la curiosidad. Era allá donde tenía la avioneta y muchos animales. Había un elefante normal, un león normal, todo normal menos unos pájaros horribles con los ojos salidos. ¡Qué susto! Los había traído de Australia; eran inmundos. Había una piscina enorme y muchas, muchas mesas alrededor. Nos dieron champaña. Pedimos marihuana y nos dijeron: "Sí, pero de la de Pablo". Eran tres cartones con paquetes de cigarrillos armados. El mejor cacho de la vida. Nos decían: "Cuidado con el niño, cuidado con

el niño, cuidado con el niño", y es que el cama-
ján ese, el hijo de Pablo, que estaba chiquito, estaba estrenando moto y estaba practicando con
los guardaespaldas. Pero al niño no le decían:
"Cuidado con la gente", no. Nosotros debíamos
tener cuidado con el niño por si se le daba la gana de pasarnos por encima. A propósito, hay un
cuento sobre el hijo de Pablo Escobar. Le preguntaron: "¡Oíste!, ¿tu papá es de Medellín?" Y
él respondió: "No, Medellín es de mi papá."»

El tiro de gracia

«Las esposas y amantes de los mafiosos
eran, muchas veces, las que compraban las obras
de arte. Pero eran muy celosas. Una, por ejemplo, arrinconó a la amante del marido en el baño de una discoteca y le rapó la cabeza. Otra fue
peor: la amante del tipo era corredora de carros,
muy famosa y conocida; la esposa oficial mandó
a que le dispararan en la cuca[68], o sea, por donde lo daba.»

---

[68] Una de las tantas expresiones para referirse a la vagina.

Cosas absurdas

«Ellos compraban casas, carros, motos…
Y una particularidad era que siempre los modi-
ficaban. Hay una casa cerca del aeropuerto a la
que el dueño le metió más plata de lo que le costó en cosas absurdas: le puso ventanas con forma
de televisor y rejas doradas. Eso está abandonado: ¿quién va a querer comprarla?»

El tinto y el carro

«Hay un cuento buenísimo. Van dos mafiosos a comprar un carro y encuentran el almacén cerrado. Esperan en un café a que abran. Y
cuando van a comprar el carro, uno le dice al otro:
"No, déjate. Yo pago el carro, vos pagaste ya el
tintico." Así eran: no había límites. Un mafioso
le compró un carro a la amante, un Mercedes negro, divino. Pero le dijo: "El día que me maten,
lo podés usar. Sólo lo podés usar ese día." Así era
la cosa: mucho dinero, mucha ostentación, nuevos valores. Antes un Mercedes se heredaba, era
un bien de familia, era para toda la vida. Algo
cambió…»

Jugando con la muerte

«Una vez nos robamos un carro que transportaba plata pero creíamos que era como en las películas: que al poner la dinamita estallaba la caja de seguridad. ¡Pero qué va! ¡Pura mierda! Lo único que pudimos hacer fue dejar medio sordos a los guardias que habíamos amarrado en la parte de atrás, y como nos venía siguiendo la policía nos tocó fue pegarnos la volada.

»Nosotros pensábamos como esa estrofa que canta un parcero[69]:

»*Es el juego de la vida,*
de la vida, de la muerte:
cuando uno menos piensa,
todo acaba de repente.»

La bolsa y el filtro

«Hay bolsa de valores, bolsa de diamantes y "bolsa de calentados"[70]. El funcionamiento

---

[69] Manera como algunas personas del centro del país, especialmente en el departamento de Antioquia, llaman a sus amigos.
[70] Expresión utilizada por los sicarios para referirse a los negocios turbios.

de esta última es bien sencillo y obedece al noble deseo de que nadie pierda, que todos ganen.
Veamos: usted quiere mandar al sueño de los jus-
tos a un man que se le ha torcido[71]. Pero usted
pertenece a un cartel y no le gustaría que ese ca-
pricho perjudique a sus socios. ¿Qué tal que el
tipo deba plata a la lata y no cumpla por irse antes de tiempo? Ni modo. Para evitarlo, usted en-
vía el nombre del futuro finado a la "bolsa". Allí
los corredores lo mueven: si alguien reclama pago, le dicen la cantidad. Usted valora, hace números, suma y resta. Ok., me parece rentable acabar con ese hijueputa. Nadie más exige nada. Es
su día de suerte. El pegao[72] le ha salido demasia-
do barato. Marca a su sicario de cabecera, le da
instrucciones y descansa. Eso es seriedad.

»La "bolsa" opera así: un patrón ordena
matar a alguien. Su nombre se entrega a los ope-
radores de bolsa, quienes corren el nombre en la
computadora, para saber a quién o a qué organi-
zaciones debe dinero. Ese listado se entrega al que
ordena cometer el asesinato con dos objetivos: el

---

[71] Que lo ha traicionado.
[72] Negocio.

primero, decidir si vale la pena asumir el riesgo económico del atentado, por las conexiones que tenga la futura víctima. Y el segundo, para intentar negociar con los titulares de las obligaciones lo que perderán por el asesinato. Si no se pasa antes del atentado por ese filtro, quien ordena la muerte tendrá que pagar todas las deudas del occiso, o pagar su imprudencia con su propia vida.»

Amenaza poética

«El Poeta nos amenazaba por teléfono. Echaba un discurso bien armado y era muy poético. Él decía: "Mirá, hombre, vos sos antioqueño. Sos un buen muchacho. No te hagás matar. Date cuenta que hay mejores periódicos. Esto es de verdad…" Y después de un rato, empezaba a ponerse más agresivo y vulgar. Pero siempre comenzaba las amenazas con ese sonsonetico.»

Fiesta de los tres

«Cuando los tres hermanos eran perseguidos por la justicia hicieron una fiesta a la que acudió mucha "gente bien" de la política, de la prensa y hasta toreros. La comida fue traída del primer Rodizzio de Medellín, montado por ellos. También sirvieron paella y sangría a la lata[73]. Había lo que quisieras: una plaza de toros en la finca y ganadería con toros de lidia. Recuerdo que los tres estaban sentados a una mesa. Al atardecer, se fue la luz y cuando volvió ya no estaban. Poco después subieron la policía y el ejército, pero no los encontraron.»

La apuesta

«Una vez, en la tradicional discoteca de los traquetos de aquí, de Medellín, hicieron una apuesta para que participaran las mujeres. Un mafioso ofreció como premio un Renault 18 y pidieron voluntarias para comerse una cucaracha. Una muchacha muy linda se paró y se ofreció. Ante el estupor general, cogió la cucaracha con una mano y sin pensarlo dos veces, se la tragó. Y se ganó el carro.»

---

[73] En grandes cantidades.

Por cuenta de Pablo

«Se daban casos en que cerraban una discoteca y nadie más podía entrar o salir. Decían que a partir de ese momento todo corría por cuenta de la discoteca. En realidad el que pagaba las cuentas era Pablo Escobar. Él se sentaba en una esquina discreta a fumar marihuana; ninguna otra cosa le gustaba tanto.»

Un puñado de dinero

«Había cuatro capos que dominaban el tráfico de coca aquí en el Guaviare. La base se compraba en las terrazas de los bares, abiertamente. Los lugares favoritos eran la cafetería Colombia, ya desaparecida, y la heladería Colombia, que aún existe. Hasta allá llegaban los compradores con su balanza. Probaban la base y metían la mano en un saco lleno de billetes, cogían una manotada y pagaban. Los jefes vigilaban la operación desde otro punto del bar, acompañados generalmente de mujeres muy lindas. Los mafiosos llevaban la plata en bultos. Se sentaban con sus grupos en los bares y pagaban metiendo la mano y cogiendo un puñado de billetes. No contaban la plata: la llevaban así al banco para que se las contaran.»

Sólo whisky

«Era tal el gasto de los mafiosos en los bares del Guaviare, que a la gente normal no la dejaban tomarse una cerveza en una mesa. Uno de pendejo se sentaba con una fría y lo echaban del lugar porque le decían que allí era sólo para whisky, que no se podía ocupar una mesa con una cerveza.»

El pueblo y el narco

«Aquí en Urabá (Antioquia) había un mafioso simpático, bien parecido e inteligente que comenzó con la marimba y luego se pasó a la coca. Construyó su casa y una pista con torre de control. Se volvió tan importante que todo el mundo dependía de él: organizaba las corralejas[74] y tiraba billetes desde la tarima para que

---

[74] Fiesta popular del Caribe colombiano en la que se sueltan varios toros en un recinto rudimentario para que los toreen los espontáneos.

la gente se metiera a cogerlos entre las patas de las vaquillas. En Navidad llevaba regalos para todos los niños del pueblo y los repartía su administrador o él. Hasta al cura del pueblo le regaló un jeep. Una vez se detuvo su helicóptero sobre el campo de fútbol del pueblo y de vez en cuando lanzaba billetes para que corrieran más. Como estaban en un partido, los jugadores interrumpían el partido, recogían los billetes y seguían jugando.»

De gallera a bailadero

«Yo estuve en casas de Pacho Herrera donde había grifos de oro. Pero lo que más recuerdo es una finca, en la vía al aeropuerto de Cali, donde había una gallera manejada a control remoto que se convertía en pista de baile y bar. Todo se movía electrónicamente: empezaban a cambiar las paredes, a salir las luces y los globos multicolores. Emergía un equipo de sonido y en estantes toda una colección de música de la que usted quisiera.»

La mafiosa

«Eso fue en el año 86. Ella era una pelada normal del colegio hasta el bachillerato. Cuando llegaba de vacaciones traía cantidades de unas muñecas rubiecitas y muchos regalos para las amigas. Le compraban zapatos como a Imelda Marcos[75]: de todos los colores, del modelo que quisiera. Tenía tantas joyas en los dedos que no le cabía una más. Por eso las niñas se referían a ella como "la mafiosa". A nosotras nos parecía todo tan raro, hasta que nos dimos cuenta de que el papá era traqueto. Yo tenía 12 años y ella 15. A su fiesta fuimos quince damitas y nos tuvimos que vestir con muselinas de los colores del arco iris. Todos los días nos recogían en la casa a las quince damitas con los quince pajecitos y nos llevaban a ensayar el vals con una experta que había ideado una coreografía especial. El vestido de la quinceañera lo hicieron en los Estados Unidos, a donde viajaron varias veces pa-

---

[75] Viuda del dictador filipino Ferdinand Marcos. Se hizo conocida porque cuando fue derrocado su esposo le descubrieron una colección de más de mil pares de zapatos.

ra las pruebas y para comprar otras cosas. La fiesta tuvo dos orquestas famosas y un grupo de cuerdas que se encargó de acompañar la comida. Ella era negrita y terminó como Michael Jackson: con el pelo alisado y la nariz respingona. A la fiesta, organizada en un hotel de cinco estrellas, invitaron a 350 invitados. Recuerdo las figuras de hielo y los recordatorios que nos dieron a las damitas: era el número 15 en oro. Los invitados de la fiesta estaban todos llenos de anillos y cadenas de oro, y por los carros en que llegaban te dabas cuenta de que eran mafiosos. Cuando ella cumplió 16 años le compraron el pase de manejar y le dieron de regalo un Mazda Miata. No había otro en Medellín. A su hermana menor le dieron un Tranza, un carro con un águila pintada.»

3

HISTORIAS
DE ANTOLOGÍA

La captura de Gilberto

El día de su captura, Gilberto Rodríguez Orejuela le confesó al general Rosso José Serrano, por entonces director de la Policía, que
estuvo deprimido desde que se despertó porque
presentía que algo malo le iba a ocurrir. Él no
lo sabía, pero desde hacía dos semanas el Bloque
de Búsqueda seguía a su contador, William González Peñuela, alias *El Flaco*, para dar con su paradero. Los uniformados pusieron a dos mujeres
policía frente a la casa de Peñuela, que simulando
ser deportistas no lo perdían de vista. Otro grupo
perseguía, a la distancia, al contador de Rodríguez Orejuela cuando salía de su casa. El día de
la captura del capo, el viernes 9 de junio de 1995,
los uniformados siguieron al Flaco durante cuatro horas. De nada le sirvió la táctica de mon-
tarse en carros particulares, bajarse de ellos para
luego subirse en buses y taxis y, de vez en cuando, caminar a lo largo de varias cuadras, luego

detenerse en una esquina para hablar con una persona que le advertía si alguien lo seguía. Al final de las cuatro horas llegó al barrio Santa Mónica, al norte de Cali. Casi se evade, pero una de las mujeres policía conocía el olor del perfume del contador y pudo detectar la casa donde se metió. La vivienda no tenía nada llamativo en el exterior. Cuando los uniformados allanaron el lugar, encontraron una habitación con jacuzzi, 91.880 dólares y más de 37 millones de pesos en moneda extranjera. En un cuarto convertido en oficina hallaron once teléfonos celulares y siete fijos, dos aparatos SVX especiales para evadir rastreos, siete radios de comunicaciones, cinco escáneres, dos radares, varios buscapersonas y un visor nocturno. Buscaron un buen rato, hasta que un oficial se percató de los pedazos de un vaso junto a una biblioteca. Golpearon el mueble con las culatas de los fusiles y detectaron una parte que sonaba hueca. Encontraron el mecanismo que abría la caleta y apuntaron sus armas. Adentro estaba Gilberto Rodríguez Orejuela sentado sobre una butaca. Salió con los brazos en alto, diciendo: «Hombre, hicieron su trabajo bien. Los felicito porque ganaron.»

El *ranking* de los billonarios

El 12 de octubre de 1987 las revistas *Fortune* y *Forbes* coincidieron en sus portadas. Ambas ofrecían a sus lectores el *ranking* de los hombres más ricos del planeta. La lista de la revista *Forbes* la encabezaba Yoshiaki Tsutsumi con 25 mil millones de dólares. Lo seguían de cerca el sultán de Brunei y el rey de Arabia Saudita, con 25 mil y 20 mil millones de dólares, respectivamente. En el puesto 14, apenas un escalón abajo del duque de Westminster, aparecía Pablo Escobar Gaviria, jefe del cartel de Medellín, con 3.000 millones de dólares. Cerrando el listado, en el puesto 19, estaba Jorge Luis Ochoa con 2.000 millones de dólares, la misma fortuna que poseía el jeque de Dubai, ubicado por la revista en el puesto veinte. La publicación presentó a otros millonarios menores. En la lista aparecían Gonzalo Rodríguez Gacha, *El Mexicano*, y Carlos Lehder Rivas (ambos pertenecientes al cartel de Medellín). Junto a ellos estaban personalidades como Kashogui y Cristina Onassis. Ambas revistas calcularon las fortunas de la mayoría de estos personajes con base en informaciones fidedignas de cuentas bancarias, negocios propios o dotes hereditarias. En el caso de los narcotraficantes, se guiaron por deducciones e indicios y por el cálculo aproximado de la cantidad de cocaína que cada uno exportaba a los Estados Unidos y Europa.

La modelo y El Alacrán

Una de las acompañantes permanentes de Henry Loaiza, *El Alacrán*, miembro del cartel de Cali, era la modelo de ropa interior Sandra Porras, capturada por las autoridades el 13 de mayo de 1995 en un restaurante del norte de Bogotá. Ella contrató los servicios de un brujo de Medellín para saber del estado de salud y de la suerte de su enamorado, al que sólo veía esporádicamente. También le encomendó que mirara el futuro de Loaiza para prevenirlo de redadas policiales. Lo que no lograron adivinar fue que El Alacrán se entregaría a las autoridades para acogerse a la política de sometimiento ofrecida por el Estado, con la garantía de no ser extraditado a los Estados Unidos. Unos días antes de la entrega, los organismos de seguridad recibieron informaciones encontradas sobre su paradero. En cuatro llamadas distintas les advertían sobre la presencia del capo en diversas partes del país al mismo tiempo: que estaba en una isla del Caribe, que lo habían visto en una finca en Manaure (Guajira), que en Playa Mendoza (Bolívar), y que estaba de vacaciones en Tuluá (Valle del Cauca).

Venganza marimbera

En el Caribe colombiano se mataron dos familias relacionadas con el tráfico de marihuana, por una muerte de la que todavía no se sabe cuál fue la razón y de la que existen dos historias y decenas de muertos. Unos dicen que todo empezó cuando un hombre mató a su primo por el amor de una mujer; otros, que el asesinato ocurrió porque uno de los primos no quiso sellar con sangre una deuda de honor. La guerra entre los dos clanes comenzó en 1970 y se extendió a lo largo de dos décadas por la costa atlántica. En los barrios de marimberos de Barranquilla y en las calles de Santa Marta fueron asesinados, por igual, los varones de ambas familias. Niños, tíos, primos, hermanos y amigos cercanos cayeron a manos de sicarios, que a veces disparaban desde carros o motos, o que simplemente iban a pie. La muerte dejó a su paso una estela de viudas y huérfanos que se contaron por decenas. Nunca hubo detenidos ni pruebas que demostraran que se estaban matando entre sí. Sólo quedó una leyenda de la que todavía se cuentan dos historias.

Por arte de mafia

El dinero de la mafia llegó, a mediados de los años noventa, a la isla de San Andrés para comprar hoteles y lugares de diversión. El primer capo que se metió de lleno en la isla fue Evaristo Porras, quien montó una lujosa discoteca que hizo época. Miembros del cartel de Medellín compraron o construyeron hoteles para lavar dólares. Inflaron hasta el cien por ciento los registros de ocupación de hoteles vacíos. Turistas de papel llenaban habitaciones cerradas o se paseaban por *lobbies* desiertos. Pasaron meses en los que ni una sola persona traspasó la puerta de esos complejos, porque los mantenían cerrados al público. Sin embargo, producían ganancias millonarias. Esos narcos también aprovecharon la posición geográfica de la isla y su cercanía con las Antillas para enviar embarques de droga. Compraron barcos en mal estado y los repararon para cargarlos hasta con una tonelada de cocaína. Luego los enviaban a Jamaica y a otras islas, en travesías de un día o más. A veces la guardia costera inmovilizaba alguna embarcación de estas y encarcelaba a la tripulación, pero pasado un tiempo la dejaba libre por falta de pruebas. Extrañamente, desaparecían los barcos de los propios embarcaderos de las autoridades sin que nadie se diera cuenta.

¡Pero qué suerte!

Iván Urdinola Grajales era tan afortunado que la suerte con las loterías lo perseguía hasta en la cárcel. La última vez que ganó el premio gordo, el 26 de mayo de 1994, estaba tras las rejas, acusado de narcotráfico. En esa ocasión se embolsilló 200 millones de pesos con diez fracciones del número 5937, serie 1231, de la Lotería de Bogotá. Pero no fue el único premio que recibió: en varias ocasiones se sacó el mayor con otras loterías del país. El más grande fue de 600 millones de pesos. Las autoridades calcularon la fortuna de este hombre, que había sido carnicero[76] en su pueblo natal de El Dovio (Valle del Cauca), en 6.000 millones de dólares[77]. Buena parte de esa riqueza estaba invertida en negocios y bienes. Incluso determinaron que tenía propiedades en España y en países de Centroamérica. Pero a pesar del seguimiento de su fortuna, no han podido demostrar si tanta suerte no era una estrategia para blanquear dinero. ¿Será que el verdadero «gordo» consistía en conseguir al ganador real de la lotería y ofrecerle una cantidad de dinero superior a la del boleto?

---

[76] Persona que vende carne al por menor.
[77] Informe "Los otros dueños", revista *Semana*, 30 de julio de 1996.

La criada y el mafioso

Paul Castellano, jefe de la mafia italiana de Nueva York en los años ochenta, se enamoró de la criada de su casa, Gloria Olarte, una inmigrante colombiana. Con ella vivió los últimos siete años de su vida, antes de que lo acribillaran en una calle de la «Gran Manzana». Fue un amor que empezó entre limpiezas, arreglos de camisas y un computador que traducía del italiano al español; y ese amor llegaría a contemplar una cirugía de prótesis en el pene que el capo se haría para poder complacer a su amante en la cama.

Castellano perteneció a la familia Gambino, por lo que fue temido y respetado. Manejó su propia cadena de supermercados, una nómina de policías corruptos, varios sindicatos, redes de pornografía y una organización de asaltantes de camiones. Sin embargo, en la intimidad de su casa no era más que un viejo que se trasnochaba con su amante viendo películas de vaqueros, que de vez en cuando le sacaban una lágrima. Después de la muerte del capo, Gloria viajó a Medellín y se empleó en una agencia de viajes.

Ingenio paisa

Después de la fuga de Pablo Escobar de la cárcel La Catedral, la madrugada del miércoles 23 de julio de 1992, las autoridades buscaron los escondites que el capo había construido dentro de la prisión durante tres meses. En su labor, los hombres del Bloque de Búsqueda trajeron de los Estados Unidos detectores para hallar refugios subterráneos, consiguieron equipos ingleses de ultrasonido para encontrar caletas, llevaron perros amaestrados para que olfatearan paredes huecas. Pero sólo hallaron unos cuantos pasadizos entre habitaciones y algunos intersticios en las paredes para guardar armas. Nada más. Derrotados, los policías trajeron a varios de los hombres de Escobar que se habían entregado a la justicia, para que revelaran los escondites. Como sacados de los cuentos de *Las mil y una noches*, aparecieron de la nada habitaciones con muebles y escritorios, caletas que se abrían al recostarse contra una pared o al girar la llave de una ducha; descubrieron en el piso la entrada a un cuarto, que se accionaba enchufando un tomacorriente. Para finales de 1992, los miembros del Bloque ya eran expertos en detectar estos escondites. En los últimos meses de ese año descubrieron cincuenta caletas de Escobar. En algunos de esos lugares encontraron una estufa de gas que al girar los botones de encendido descorría la puerta de una entrada subterránea; una biblioteca giratoria que daba a una habitación y un pasadizo que se abría desenroscando una bombilla.

La Catedral de lujo

Pablo Escobar exigió la construcción de La Catedral antes de entregarse al gobierno de César Gaviria, a principios de los años noventa. En esa cárcel se refugió con varios de sus lugartenientes, hasta que huyó, a mediados de 1992, después de que la policía y el ejército trataron de allanar el lugar. Cuando las autoridades entraron en la prisión descubrieron toda clase de lujos y excentricidades. Un funcionario de la DEA incluso dijo que parecía un «hotel de cinco estrellas».

En la habitación del capo encontraron una pintura de la Virgen del Carmen incrustada en la pared, hecha a mano sobre pequeñas baldosas. La luz entraba por dos ventanales y al balcón se llegaba por una puerta corrediza de vidrio. Tenía, además, sala de recibo, chimenea, bar, baño con tina de lujo y un cuarto contiguo transformado en oficina. Sobre el escritorio, tipo ejecutivo, había cuatro figuras de policías hechas en cerámica. Dos retratos colgaban de la pared: en uno aparecía Escobar y su primo Gustavo Gaviria, quienes posaban a la usanza de los *gangsters* de los años treinta: Pablo con una botella de licor en la mano derecha y un pistolón en la izquierda, y su primo armado con metralleta y pistola; en la otra fotografía estaba solo, sentado en un taburete, disfrazado de guerrillero mexicano, tipo Pancho Villa, con sombrero de charro, dos cananas llenas de balas cruzadas sobre el pecho y un rifle entre las manos.

Construyó una habitación con paredes pintadas con escenas que evocaban la película *La guerra de las galaxias*, adornadas con luces de colores y objetos que brillaban en la oscuridad. Colocó un telescopio en una de las tres terrazas de la cárcel para ver las calles de Medellín, distante unos 30 minutos en carro. Además de las caletas, construyó dos refugios antiaéreos, un gimnasio, una casa de muñecas para su hija, una biblioteca que repletó de libros nuevos, un par de cabañas y una discoteca. Iluminó una cancha de fútbol con dieciocho reflectores para sus eternos partidos de tres y hasta cuatro horas, a los que invitaba a jugadores de la Selección Colombia, entre ellos René Higuita.

En un salón con muebles forrados con una tela que hacía juego con las cortinas, instaló un bar presidido por un cuadro enmarcado con el aviso de: «Se busca.» Era un volante de recompensa que hizo circular la Policía por todo el país, en el que aparecían él y los miembros del cartel de Medellín. El acceso a la prisión, el sistema de luces y el control de las puertas se manejaban desde una consola instalada en un cuarto al que sólo entraba Escobar. La Policía encontró, además, un grupo de palomas mensajeras encargadas de llevar y traer cartas para sus parientes y órdenes para sus hombres en la calle.

Gustos de cartel

Antes de que las autoridades los persiguieran y de que las guerras internas los separaran, los hombres del cartel de Medellín se reunían en alguna finca para hablar de embarques de cocaína, distribución y nuevas rutas. Era común que el anfitrión organizara una fiesta que duraba hasta el otro día, con mujeres, comida y licor. La mayoría de los asistentes comía y tomaba, a excepción de Pablo Escobar, que sólo bebía cerveza sin alcohol y fumaba cigarrillos de marihuana. Los dejaba del tamaño de una uña y luego los enterraba. Cuando se iba a dormir se aferraba a una subametralladora MP5, para descansar en paz.

Los museos del Mónaco

El edificio Mónaco tenía ocho pisos y su fachada era de mármol blanco opaco. En la entrada había un monumento de bronce del maestro antioqueño Rodrigo Arenas Betancourt, bautizado *Canto a la vida*. En los primeros dos pisos había una colección de obras de arte: una réplica de *El pensador* de Rodin, una figura ecuestre de Simón Bolívar hecha a escala, un jarrón de la dinastía Ming y un oso polar disecado. El *penthouse* donde vivía la familia de Pablo Escobar era un palacete hecho todo en mármol. Había obras de arte de maestros como Dalí, Grau y Obregón. Sobresalía un bodegón de Fernando Botero hecho en bronce macizo de un metro y medio de alto por dos de ancho. Pero si en los pisos superiores había una fortuna en obras de arte, en los parqueaderos estaba el monumento al derroche: además de un museo de motos había un Mercedes Benz para niños, que era del hijo del capo; una colección de coches antiguos que incluían una *limousine* blindada, un Rambler de 1902, varios modelos de la Ford de los años veinte y treinta, y algunos Plymouth y Chevrolet. Estas joyas las descubrió el país el 13 de enero de 1988, cuando Enemigos de Pablo Escobar activaron una bomba con 60 kilos de dinamita, camuflada en un vehículo todo terreno abandonado frente a la edificación. El artefacto explosivo mató a dos celadores, afectó los oídos de la hija de Escobar y casi acaba con el lugar.

El arca de Noé

Pablo Escobar creó su propio zoológico en la hacienda «Nápoles». Compró animales de distintas partes del mundo y los metió en un avión jumbo contratado para la ocasión. En la lista de especies había cacatúas negras de Indonesia, gallinetas de Nueva Guinea, cisnes blancos, casuarios, antílopes, un pato mandarín, canguros, grullas reales, jirafas, elefantes, tigres, leones, rinocerontes y un hipopótamo. Cuando los animales llegaron a Colombia, los encargados se dieron cuenta de que hacía falta la hembra del hipopótamo. Escobar ordenó que compraran una en los Estados Unidos, «porque —dijo— el arca de Noé está coja». En el tránsito de los animales desde el lugar del desembarque a la hacienda, las autoridades intentaron detener la caravana, argumentando falta de permisos para la importación y carencia de registros de salubridad. Para evitar el decomiso de los animales, el capo engañó a los funcionarios de la entidad encargada de los trámites relacionados con este tipo de importaciones: les entregó dos falsas cebras, que en realidad eran un par de burros que mandó pintar de color negro con rayas blancas. Los funcionarios se llevaron los «burros-cebras» creyendo que habían frenado el ingreso, en estampida, de animales para un zoológico pirata. Pero no todas las veces el ingenio de Escobar daba resultados: compró un oso polar para llevarlo a su hacienda, que quedaba en una zona donde el clima bordea los 28 grados centígrados. Como es obvio, el oso murió de calor antes de que Escobar decidiera construir una casa de cristal climatizada para guardarlo. Tras esas demostraciones de amor por los animales, el capo escondía una elaborada estrategia de tráfico de droga, que consistía en utilizar los excrementos de los grandes depredadores para recubrir las envolturas de los paquetes de cocaína. Cuando los perros de la DEA olían las envolturas, se espantaban.

La hacienda «Nápoles»

La hacienda «Nápoles» estaba en el corazón de Pablo Escobar. En las 3.000 hectáreas de tierra fértil, el capo plantó 100 mil árboles frutales, creó varios lagos artificiales conectados entre sí, construyó seis piscinas y montó un zoológico privado. En la entrada de la hacienda, encaramada en la parte superior de la portería, puso una avioneta liviana monomotor, de placa HK617-P, en la que supuestamente llevó el primer envío de drogas a los Estados Unidos. Sin embargo, ese aparato no era otra cosa que un monumento puesto por el mafioso para recordar a la verdadera avioneta, que se perdió en el mar cuando volaba a cinco metros de la superficie con 70 kilos de cocaína en su interior. Otro mito en «Nápoles» fue el carro en el que el FBI abaleó a John Dillinger[78] y que permaneció bajo la sombra de un cobertizo. Era un Chevrolet 34 que le regalaron al capo y que él mismo, junto con sus sicarios, abaleó para darle ese aire de carro de la ma-

---

[78] Uno de los más grandes ladrones de bancos de Estados Unidos en los años veinte.

fía del Chicago de los años treinta. Escobar admiraba esa escuela del crimen y la seguía de cerca a través de películas y libros. En una entrevista contó que cuando fue por primera vez a los Estados Unidos visitó el museo de Al Capone[79] uno de sus ídolos. Cuando regresó a Colombia les dijo a sus amigos que ir a ese museo era como visitar el Vaticano.

Los tenis para salir «volao»

Pablo Escobar se vestía de la manera más sencilla. Generalmente usaba una camisa a cuadros de manga corta, un reloj Rolex de oro en la muñeca izquierda, pantalones de tela liviana o bluejeans y zapatos tenis. En sus casas y haciendas mantenía docenas de estos zapatos deportivos. Sus hombres de confianza también los usaban. Él decía que como buen bandido debía estar listo para salir «volao», como en el disco de salsa, *Pedro Navaja*.

---

79 Alfonso Capone (1899-1947). Famoso mafioso italiano de los años 30 en Nueva York, apresado por evasión de impuestos. Su vida inspiró a varios escritores y directores de cine.

El fin de El Mexicano

A la 1:45 de la tarde del viernes 15 de diciembre de 1989 murió Gonzalo Rodríguez Gacha, *El Mexicano*, luego de un operativo de caza montado por la Policía en Tolú[80]. En las imágenes de los noticieros de ese día difícilmente se podía reconocer el rostro desfigurado del capo. Su cuerpo hinchado estaba tendido junto a siete personas más, entre ellas su hijo Freddy. En principio se dijo que la policía lo mató de un tiro certero en la cara. Pero después se estableció que El Mexicano se suicidó: se puso una granada en la cabeza cuando era cercado por un grupo de policías que se transportaban en un helicóptero. Desde tierra, Gacha les hacía gestos y les decía cosas a los tripulantes de la nave, que veían cómo sangraba por la cabeza. Varias veces levantó la mano izquierda y mantuvo recto el dedo del corazón, mientras doblaba el índice y el anular, hasta que accionó la granada. Cuando cayó, los uniformados bajaron para verificar que se trataba del mafioso. Confirmaron que estaba muerto, inspec-

---

[80] Zona turística del departamento de Sucre.

cionaron la zona y encontraron parte del cuero cabelludo del capo engarzado en un cercado de alambre de púas. No era producto de la explosión, sino que en el intento de huir se enredó en la cerca. El Mexicano, su hijo y los otros hombres fueron enterrados sin oficios sacerdotales en una fosa común, en ataúdes donados por la Gobernación de Sucre. Con permiso del gobierno, la hermana de Gacha exhumó los cuerpos, los embalsamó y los llevó a Pacho (Cundinamarca), el pueblo donde nació el capo. A manera de profecía, El Mexicano repetía una frase en sus últimos tiempos: «Prefiero una tumba en Colombia y no una celda en los Estados Unidos.» La frase se convirtió en el eslogan del cartel de Medellín. Aparecía en los comunicados de prensa de Los Extraditables bajo la imagen de tres hombres encadenados, cada vez que los barones de la droga ejecutaban alguna acción terrorista.

La captura de Chepe

«El kínder de Serrano», así le decían al grupo de jóvenes oficiales de la Policía entrenados para atrapar a los capos del cartel de Cali. La

primera prueba fue la captura de Gilberto Rodríguez Orejuela, en una casa en el norte de Cali,
después de días de seguimiento. Luego les siguieron la pista a informaciones sobre el paradero
de José Santacruz Londoño, alias *Chepe*. Sabían,
por un soplón y por documentos encontrados
en allanamientos, que Santacruz se escondía en
alguno de sus apartamentos del norte de Bogotá. Establecieron que salía sólo a sus citas médicas —padecía una enfermedad en la piel— y que
recorría sitios de comida y rumba de la Zona Rosa y la avenida Pepe Sierra[81]. Con esa información trazaron un plan para dar con el hombre.
Establecieron una red con veintiséis grupos, cada uno integrado por tres policías vestidos de civil. Una parte de la red se metió en bares, restaurantes y discotecas. Un mismo lugar era visitado
cada tercer día. Se hacían pasar por clientes y permanecían en los lugares hasta que los meseros recogían los manteles y levantaban las sillas, o hasta que prendían las luces, apagaban la música y

[81] Una de las principales vías del norte de Bogotá. Al igual que la Zona
Rosa, está llena de restaurantes y bares.

les pasaban la cuenta. Otra parte del equipo vigilaba las calles, estacionamientos, licoreras, prostíbulos y, sobre todo, droguerías cercanas a la zona. Estuvieron en esas durante 17 días, hasta el 4 de julio de 1995, cuando uno de los oficiales, que conocía de memoria los rasgos de Santacruz, lo descubrió cenando con tres personas en un restaurante especializado en carnes. No tenía dudas: era el hombre del cartel. Sabía su número de cédula, reconocía la loción que usaba y hasta podía identificarlo, así llevara disfraz, apenas por unas señales particulares y algunos gestos. Se sentó a una mesa cercana, llamó por su celular al general Serrano y le dijo que tenía enfrente al capo. Para evitar que el tercer hombre en importancia del cartel de Cali huyera, el general llamó a los escoltas de su mujer y les pidió que apoyaran al oficial. Llegaron por señas al restaurante y en cuestión de minutos sacaron a Santacruz sin disparar una sola bala.

El terror de los traquetos,

En los años ochenta y noventa, cuando los narcotraficantes eran los dueños absolutos de

Cali, la muerte y el temor circularon por los sitios de rumba de la ciudad. En la memoria de los caleños y en artículos de prensa quedaron registradas historias de sangre con un solo protagonista: el traqueto. Grupos de estos hombres llegaban a una discoteca sin parejas, se fijaban en la mujer más bonita, la rifaban entre ellos, y el que ganaba ordenaba a sus guardaespaldas que la llevaran a la fuerza a su mesa. Con amenazas obligaban al acompañante a salir del lugar. Se supo de jóvenes que fueron violadas y asesinadas; sus cuerpos fueron encontrados en zonas boscosas. Otra forma de terror impuesta por estos mafiosos consistía en escoger hombres al azar en un bar y sacarlos del sitio a punta de pistola. Luego los llevaban a una zona alejada de la ciudad y jugaban con las víctimas al tiro al blanco. Muchas de las familias de esos muertos no denunciaron los casos por temor a represalias y hasta abandonaron el país para no arriesgar sus vidas.

Juegos de muerte

Hijos de narcotraficantes, sicarios y gente cercana a la mafia perdieron la vida en apues-

tas macabras. Jugaban a la ruleta rusa o a la gallina ciega. El primer juego consiste en girar el
tambor de un revólver que sólo tiene una bala,
para luego ponerse el cañón en la sien y disparar.
Cada jugador repite la misma acción el número
de veces que quiera. El otro juego es una carrera
suicida en la que un conductor vendado acelera
por una vía principal. Gana quien sale ileso.

La pantalla de don Efra

Efraín Hernández Ramírez, a quien todos decían *don Efra*, fue más conocido por los
romances que tuvo con bellas mujeres y por las
fiestas que organizó, que por sus vínculos con la
mafia. De policía retirado pasó a ser dueño de varias empresas de inversiones, cadenas de panade-
rías, inmobiliarias y hoteles. Debutó en el mundo del *jet set* colombiano con su matrimonio con
la modelo Sandra Murcia Vargas, de quien después se separó. Ella brincó de las carátulas de las
revistas y de los chismes de farándula a las seccio-
nes judiciales de los periódicos cuando en 1996
fue atrapada con una maleta que contenía 5,5 ki-

los de cocaína, en el aeropuerto Charles de Gaulle de París.

De don Efra quedaron dos eventos registrados en los medios: la fiesta que organizó para su hija quinceañera en un hotel de cinco estrellas de Bogotá, que amenizó el cantante vallenato Carlos Vives, y su segundo matrimonio, con la ex reina del departamento de Guainía, Marcela Serrano, detenida por la policía en marzo de 1996, acusada de enriquecimiento ilícito.

Hernández era un cincuentón de baja estatura y que vestía ropa estrafalaria. Impresionaba a sus novias y amantes con carros importados que estacionaba a la entrada de sus casas; les abría millonarias cuentas bancarias, asumía el costo total de la producción de calendarios para los cuales ellas posaban en traje de baño, y les regalaba anillos y gargantillas de diamantes. Sin embargo, el hechizo se rompía cuando lo abandonaban o cortaban la relación con él. Entonces mandaba recoger las joyas y los carros y cancelaba las cuentas. Hernández era considerado por la Policía como miembro de primer nivel del cartel del norte del Valle. La última noticia que se tuvo de él fue su muerte. Lo asesinó un sicario con una pistola con silenciador. El mafioso estaba en una oficina, en un centro comercial del norte de Bogotá.

En busca del tesoro

«El Dorado de El Mexicano», así bautizaron los guaqueros[82] los tesoros enterrados por Gonzalo Rodríguez Gacha en sus fincas y haciendas. Después de muerto, grupos de asaltantes se metieron en las casas del narco, abrieron huecos y tumbaron paredes, pero no tuvieron fortuna. A mediados de 1996, varios hombres armados entraron a la fuerza en una mansión de Gacha, en el norte de Bogotá, expropiada por el gobierno, donde funcionaba un instituto para niños enfermos de cáncer. Los hombres amenazaron con matar a la gente si hacía ruido, mientras ellos rompían pisos y muebles en busca del dinero y oro enterrados. No hallaron nada, pero dejaron el lugar semidestruido; los daños fueron

---

[82] Buscadores de tesoros indígenas.

calculados en 140 millones de pesos. A éstos y a otros guaqueros, las autoridades se les adelantaron: en «Cuernavaca» la policía desenterró más de 10 millones de dólares, de la hacienda «Mazatlán» sacaron cerca de cinco millones de dólares; y en la finca «Santa Rosa» encontraron más de ocho millones de dólares empacados en canecas, un hexaedro de oro, veintiséis barras del mismo metal y una bolsa repleta de oro en polvo.

Decomisos extravagantes

A finales de 1996 las autoridades no sabían qué destino darles a tantos elementos incautados a los narcotraficantes en los allanamientos a sus viviendas. Entre otras cosas, había básculas, «grameras» y herramientas, cargamentos de ropa, zapatos, medias veladas, pañales y cajas de toallas higiénicas importadas. Finalmente, vendieron los primeros artículos a Ecopetrol[83] y donaron los segundos a varias fundaciones. En los inventarios de cosas, las autoridades notaron que

---

[83] Empresa Colombiana de Petróleos.

faltaban doce vibradores decomisados a un barón de la droga; nunca aparecieron. Quien quedó contento con el lugar que le tocó a su bien más preciado fue John Jairo Vásquez Velásquez, alias *Popeye*, hombre fuerte de Pablo Escobar. Desde la cárcel interpuso varias demandas para que le devolvieran su moto Harley Davidson de placas CIJ-47, con incrustaciones de oro; sin embargo, cuando se enteró de que iba a quedar en el Museo Histórico de la Policía Nacional, desistió de los procesos.

El otro Fidel

De Fidel Antonio Castaño Gil siempre se dijo que era el *gentleman* del cartel de Medellín. La sobriedad de sus gustos estaba lejos de las excentricidades de hombres como El Mexicano o Lehder. Era un *gourmet*, conocía de arte, vestía con trajes de grandes diseñadores y su inclinación por los viajes le había dado un aire cosmopolita. Sin embargo, un perfil que las autoridades hicieron en 1995 a partir de sus costumbres y hábitos derrumbó el mito de hombre de mundo y lo mostró como un ganadero en mangas de camisa, jeans y botas; le gustaba la música vallenata y la carne a la llanera. El informe decía que se obsesionó con el personaje de Rambo[84]. Admiraba tanto a este combatiente de película que tenía una colección de sus afiches. En los grupos paramilitares que conformó y dirigió se hacía llamar Rambo.

Castaño era un hombre fuerte y macizo, de 1,80 de estatura. Practicaba artes marciales y por superstición no se levantaba con el pie izquierdo. Decía que el día que lo hiciera lo matarían. Murió el 6 de enero de 1994 de un tiro en el corazón, en un combate que libró con guerrilleros del EPL[85] en el Urabá antioqueño. Fue enterrado a orillas del río Sinú, pero en una crecida de las aguas su ataúd salió a flote. Su hermano Carlos, actual comandante de las autodefensas, lo trasladó a una reserva forestal en el nudo de Paramillo. Su cuerpo yace en una tumba

---

[84] Personaje de cine interpretado por Silvester Stallone. Es un ex combatiente de Vietnam.

[85] Ejército Popular de Liberación. Grupo armado de línea maoísta. Surgió en 1967 y se desmovilizó durante el gobierno de Virgilio Barco (1986-1990).

sin marcas, pero cercado por un rectángulo de metal para que sea fácilmente detectado.

Perafán y los políticos

La Cámara de Representantes de Colombia condecoró el 7 de abril de 1994 a Justo Pastor Perafán Home con la Orden de la Democracia en el Grado de Gran Cruz. En la resolución decía:

> ...reúne el perfil de las personalidades cuya honestidad, constancia y lealtad a los más nobles principios éticos que han sido previstos para ser honrado con esta distinción y a su inequívoca vocación nacionalista y su amor por Colombia, impulsando y creando empresas forjadoras del progreso.

Así exaltaban a un hombre arrestado en Panamá en 1982 por tráfico de cocaína, el mismo que, según la Interpol, compró en 1984 tierras en las que dos años después se descubrió un laboratorio para procesar cocaína. Condecoraron al hijo de una familia pobre del Cauca, que en sus inicios fue panadero y que con esfuerzo ingresó al Ejército de Colombia, en el que ascendió hasta el grado de sargento viceprimero antes de retirarse. A la luz pública, Perafán figuraba como empresario en ascenso. Poseía veinticinco empresas en Colombia y otras en España, Italia y Rusia. Era dueño de hoteles de cinco estrellas y de una porción de la isla Barú, frente a Cartagena. Recibía ganancias de una mina sudafricana de diamantes y de un oleoducto ubicado en la estepa rusa. Las autoridades calculaban su fortuna en 12 mil millones de dólares[86]. Organizaba memorables fiestas en los mejores clubes de Bogotá, a las que asistían por igual políticos, empresarios, deportistas y embajadores. Estuvo en la posesión presidencial de César Gaviria Trujillo[87], aunque en su momento la gente del Palacio de Nariño[88] dijo que no figuraba en

---

[86] Informe "Los otros dueños", *op. cit.*
[87] Presidente colombiano entre 1990 y 1994. Actual secretario general de la OEA.
[88] La casa oficial del presidente de Colombia.

la lista de invitados y que tal vez se había colado en la ceremonia.

Perafán fue capturado el 18 de abril de 1997 en la frontera de Colombia con Venezuela por miembros de la Guardia Nacional de este país, que lo entregó en extradición a los Estados Unidos. Fue condenado a 30 años de prisión por narcotráfico. Paga su pena en una cárcel de alta seguridad de Orlando, Florida. A principios de 2002 concedió una entrevista al periódico *El Tiempo* de Bogotá. Dijo que estaba tan pobre que debió reunir monedas para llamar por teléfono a la periodista que lo entrevistó, y que su familia estaba en una difícil situación económica debido al congelamiento de sus bienes por orden del gobierno colombiano.

El derroche de Perafán

A las bellas mujeres que Justo Pastor Perafán frecuentaba no les importaba que su galán tuviera rasgos aindiados, contextura robusta y baja estatura; tampoco que vistiera, en ocasiones especiales, con trajes estrafalarios o con camisas de rayón o seda fría de estampados de colores, que se abotonaba hasta el cuello. Nada de eso les importaba. Luz Adriana Ruiz Jaramillo, ex señorita Vichada y presentadora de televisión, fue una de ellas. Mantuvo una relación sentimental con el jefe del cartel de Bogotá y fue investigada por la Fiscalía General de la Nación por incremento patrimonial.

Las autoridades sabían que la debilidad de Perafán eran las mujeres. Acostumbraba ir a Cartagena en épocas de reinado, y en lo mejor de su esplendor económico e influencia política organizaba fiestas en yates y discotecas de moda. Alquilaba todo el piso de un hotel de lujo de esa ciudad y lo llenaba con su séquito de secretarias, jefe de prensa, consultores y guardaespaldas. Para halagarlo, sus empleados lo llamaban «señor presidente». Cuando le gustaba alguna de las participantes del reinado, la asediaba hasta el cansancio con regalos e invitaciones. Se dice que pudo haber influido en alguna elección para que una de sus enamoradas fuera elegida reina, pero eso nunca fue comprobado.

Las posesiones y Escobar

El 28 de octubre de 1982, en los salones de eventos importantes del hotel Palace de Madrid, se celebró la primera posesión como presidente del gobierno de Felipe González, dirigente del PSOE (Partido Socialista Obrero Español). A la fiesta e instalación del nuevo gobierno fueron invitados artistas, políticos, empresarios y amigos. Varios países enviaron delegaciones a los actos. La comitiva colombiana estuvo encabezada por los congresistas Alberto Santofimio Botero, Jairo Ortega y Pablo Escobar Gaviria. En una foto que se tomaron en conjunto se ve al capo con traje y corbata. No era común que él se pusiera trajes; ni siquiera usó uno el día de su posesión como representante a la Cámara por Antioquia. Ese día llegó al Capitolio Nacional vestido con ropa informal, del brazo de su esposa. No lo dejaron entrar porque no cumplía con las normas de etiqueta para la ocasión. De nada sirvieron los intentos de soborno y los reclamos airados de otro congresista. Finalmente ingresó en el Salón Elíptico con una corbata prestada por uno de los funcionarios del Congreso.

La isla de Lehder

En mayo de 1978, Carlos Lehder Rivas compró la casa más grande que había en el islote Norman's Cay, en el archipiélago de las Bahamas. Pagó 190 mil dólares por la propiedad y con el tiempo sacó a los residentes del lugar, se apropió de la pista de aterrizaje, del único hotel y de las líneas telefónicas. Sólo él autorizaba el fondeo en el atracadero de yates del puerto. Utilizó la isla para que aterrizaran aviones del narcotráfico. Había quienes llegaban hasta allá para abastecerse de combustible y seguir su camino hacia los Estados Unidos, o para dejar cargamentos de cocaína, que después eran llevados en lanchas rápidas a las costas de la Florida. Mientras Lehder fue el dueño de Norman's Cay, la bandera de Colombia se izó todos los días, hasta que abandonó la isla, después de un informe de televisión presentado por una cadena de los Estados Unidos. El reportaje demostraba que el capo usaba la isla como puente del narcotráfico y que pagaba 100 mil dólares mensuales al gobierno de Bahamas para que no husmeara y se hiciera de la vista gorda.

Apuesto a la placa

Los números de las placas de los carros de Carlos Lehder le daban suerte a la gente. Al menos eso creían los apostadores en Armenia, quienes jugaban a la lotería o al chance[89] por números como el 5842, de un Porsche gris del mafioso; 5855 de una camioneta GMC modelo 79 de color negra, y el 4976, de un Mercedes Benz de 1979. La locura de apostar hizo que incluso se tuvieran en cuenta los números de matrícula de sus aviones: hubo apuestas al 2282 y al 2490, correspondientes a un par de aerocommanders del capo.

El nacimiento del MAS

El movimiento clandestino Muerte a Secuestradores (MAS) nació el 2 de diciembre de 1981. Ese día lanzó, desde una avioneta, miles de volantes sobre el estadio Pascual Guerrero

---

[89] Juego legal de azar en el que se apuestan pequeñas cantidades de dinero por ciertas cifras de las diversas loterías nacionales.

en momentos en que se jugaba la final del fútbol profesional colombiano. Era una amenaza de muerte contra los secuestradores del país. Juraban asesinarlos uno por uno e incluso colgarlos de los árboles de la ciudad. Ése fue el principio de una cadena de advertencias que el cartel de Medellín les hizo a los guerrilleros del M-19[90] para que liberaran a Martha Nieves Ochoa, integrante del clan de los Ochoa, secuestrada el 13 de noviembre de ese año en las instalaciones de la Universidad de Antioquia. De nada sirvieron los acercamientos y la amistad de Pablo Escobar con algunos subversivos: la guerra que desató el plagio dejó cuatrocientos muertos entre militantes del grupo, amigos y parientes. Finalmente, el 16 de febrero de 1982 Martha Nieves regresó a su casa, en Medellín, después de que el clan Ochoa y el grupo insurgente llegaran a un acuerdo económico. El epílogo de ese secuestro fue el nacimiento de las Autodefensas Unidas de Colombia.

---

[90] Movimiento 19 de Abril. Grupo guerrillero que se desmovilizó a principios de los años noventa.

Recuerdos de «Tranquilandia»

«Tranquilandia» fue la mayor «industria» cocalera de Colombia durante los años ochenta. Se construyó con dineros del cartel de Medellín y fue bautizada con ese nombre porque durante los cinco años que funcionó nadie perturbó la tranquilidad del lugar. En ese sitio, en medio de la selva del Guaviare, a orillas del río Yarí, se producían semanalmente hasta 5.000 kilos de droga. Tenía una extensión de 10 kilómetros cuadrados y estaba dotada con diez laboratorios y siete pistas de aterrizaje. Gonzalo Rodríguez Gacha, *El Mexicano*, administraba el complejo, en el que trabajaban unos cien hombres. Los dormitorios tenían baños enchapados en azulejos y aire acondicionado. Existían varios restaurantes que ofrecían menús balanceados y tres puestos de enfermería con dos médicos que trabajaban tiempo completo. En uno de ellos había una pequeña sala de cirugía. También había talleres de carpintería, de mecánica automotriz, de latonería y pintura; un pequeño hangar, una central de comunicaciones y una flotilla de vehículos, motocicletas, camiones, tractores, lanchas y canoas de remos. «Tranquilandia» fue allanada por la Policía el 10 de marzo de 1984, luego de que recibiera información de la DEA, que ubicó el lugar con ayuda satelital y espionaje aéreo.

El fútbol y Escobar

Pablo Escobar era aficionado al fútbol. Asistía con frecuencia a los partidos del torneo colombiano para hacerles fuerza a los equipos antioqueños. Ni en las épocas en que el cerco contra él fue más duro dejó de ir al estadio. Se vestía como un hincha más, se pintaba la cara y se dejaba requisar a la entrada por la policía. En los años ochenta iba a los partidos con otros mafiosos. Con ellos apostaba dinero a adivinar quién haría el primer gol, de qué manera, en qué minuto, cuál sería el marcador del primer tiempo, el nombre del jugador que primero cobraría un tiro de esquina, el que sacaría de banda o el primero que vería una tarjeta amarilla o roja. También practicaba este deporte. Era incansable en la cancha y no daba ningún balón por perdido.

Acostumbraba fumarse un cigarrillo de marihuana antes de los partidos. Se vestía con uniformes de marca y se cambiaba hasta dos veces en cada juego. Hacía uniformar a sus sicarios y les pedía cambiarse de guayos durante el intermedio de los partidos, que duraban hasta cuatro horas.

Fiestas en «Nápoles»

En el año nuevo de 1984 se celebró una de las fiestas más inolvidables de las que se hicieron en la hacienda «Nápoles». A ella asistieron, en pleno, los hombres del cartel de Medellín. Esa noche se rifaron carros nuevos, la comida fue preparada en el hotel más prestigioso de Medellín y llevada a la hacienda en helicóptero. Se sirvieron platillos internacionales y se llenó el lugar con champaña Dom Pérignon. Los meseros fueron gratificados con generosas propinas y Pablo Escobar recibió, entre otros regalos, una gallina australiana y un reloj que daba simultáneamente la hora de doce países.

Con la chequera lista

En 1986 la mafia le ofreció al gobierno de Colombia pagar el total de la deuda externa del país a cambio de ser eximidos legalmente de sus culpas y de que sus fortunas quedaran libres. Los narcos pusieron sobre la mesa 11 mil millones de dólares. Gonzalo Rodríguez Gacha ofreció una cantidad de dinero tal que sólo podría compararse con el valor comercial de la empresa petrolera colombiana Ecopetrol. Como era de esperarse, el gobierno rechazó la oferta.

Narcobromas

Algunos narcotraficantes solían divertirse mediante pruebas singulares a las que invitaban a mujeres, hombres e incluso a grupos de gente para que realizaran cosas inverosímiles, ridículas o degradantes a cambio de dinero, joyas o carros. Escobar, por ejemplo, organizó una carrera en la que varias modelos de Medellín debían correr desnudas unos 300 metros desde una meta establecida por él hasta un Mercedes Benz último modelo; la primera que lo tocara se quedaba con el automóvil. Un narco del cartel de Cali organizó en un municipio del Quindío una maratón de corte de cabello: ofreció 50 mil pesos a todo aquel que se dejara rapar por él. Hombres, mujeres y niños hicieron fila pacientemente en una de las esquinas de la plaza principal del municipio para esperar ser rapados por el hombre que, de vez en cuando, abandonaba el oficio de peluquero y le entregaba la máquina a uno de sus acompañantes.

Vendettas de la mafia

En la cacería humana que los Pepes adelantaron contra el jefe del cartel de Medellín murieron varios de sus lugartenientes y abogados. Detonaron bombas en sus propiedades, acosaron a sus parientes y prendieron fuego a varias de sus casas de recreo y apartamentos en sectores exclusivos de la capital antioqueña. En esos lugares el fuego consumió por igual Dalís y Picassos originales, tapetes persas, jarrones chinos, muebles y electrodomésticos importados. La po-

licía apenas pudo reconocer entre los fierros retorcidos y humeantes los restos de un Mercedes
Benz deportivo, varios Porsches, un Rolls-Royce
y algunas motocicletas Harley Davidson que
hacían parte de la colección particular del capo.
La llama de odio también tocó a su hermano Roberto Escobar, apodado *El Osito*, a quien le se-
cuestraron un caballo de paso fino avaluado en
un millón de dólares, que luego se lo devolvie-
ron castrado.

Locuras marimberas

Entre las historias que se cuentan de los
excesos de los marimberos de los años setenta
están la del joven de clase alta de Santa Marta
que aterrizó una avioneta cargada de marihuana
en una autopista de Kansas (Estados Unidos); la
de los conductores de las camionetas Ranger que
se encargaban de dibujar con las llantas en el pa-
vimento el número ocho para celebrar que sus
cargamentos de yerba coronaban sin problemas;
o la de la mujer a quien se le ocurrió tocar el cla-
xon de su carro a dos guajiros que hablaban en

medio de una vía: uno de los hombres se bajó y con una pistola la obligó a repetir en voz alta: «A un guajiro no se le debe pitar. A un guajiro no se le debe pitar. A un guajiro no se le debe pitar.»

Goles y mafia

Durante mucho tiempo se contó en los corrillos de los estadios la historia de un jugador del América de Cali de los años ochenta a quien los hermanos Rodríguez Orejuela le regalaron un lujoso apartamento por anotar un gol en la final del campeonato colombiano, y que sirvió para que el equipo caleño fuera el campeón. Otra historia es la de un arquero argentino traído por un mafioso de Medellín; el jugador fue condenado a la banca de suplentes en un equipo de segunda división porque en una entrevista dijo que el fútbol colombiano era financiado por los narcotraficantes (no decía mentiras). Después se descubrió que El Mexicano poseía un buen número de acciones del equipo Millonarios de Bogotá. Hernán Botero, el primer colombiano extraditado a los Estados Unidos acusado de narcotráfico, fue

Óscar Escamilla

el principal accionista del Atlético Nacional. También se supo de capos menores que compraron pases de jugadores e invirtieron dinero en equipos como Santa Fe, Medellín, Junior, Quindío y Unión Magdalena.

La reina y el peón

Dayro Chica fue considerado el mejor rejoneador colombiano en los años ochenta. Inició su carrera al lado del clan Ochoa. Fue empleado de ellos en diversos oficios: peón de caballerizas, montador de caballos de paso fino, mesero de un estadero de comida típica y empresario taurino itinerante. Pero sin lugar a dudas su mejor corrida la realizó el 9 de abril de 1982: ese día se casó con la reina de belleza colombiana María Teresa Gómez Fajardo, a quien le regaló en la noche de bodas un Mercedes Benz deportivo blanco. De entre todos los obsequios que recibieron los novios hubo uno bastante particular: se trataba de un juego de ajedrez manufacturado en oro macizo, regalo de los hermanos Ochoa. En el momento de entregárselo le dijeron que era para que siempre recordara que un peón sí se podía comer a una reina.

Escobar el político

Pablo Escobar se presentó a las elecciones para la Cámara de Representantes de 1982 con el grupo de Renovación Liberal, liderado por el ex senador Alberto Santofimio Botero. Escobar ocupaba el segundo renglón de la lista encabezada por Jairo Ortega Ramírez. Los tres salieron elegidos, el primero al Senado y los otros dos a la Cámara. Meses después el trío viajó a España a la posesión de Felipe González. En el afiche de propaganda política, Escobar aparecía en una foto tipo carnet estudiantil, de frente y vestido de corbata. Se veía serio, con un ancho bigote que le ocultaba las comisuras de los labios y con su inconfundible peinado: partía su cabello negro ensortijado con una línea al lado izquierdo. Políticamente se presentaba como un defensor de los recursos naturales, promotor, deportista sobresaliente, industrial y constructor. Su campaña la hizo en las barriadas de Medellín, a donde llegaba escoltado por sus hombres a inaugurar las canchas de fútbol que mandaba construir. En esos mítines era exaltado con vivas y aplausos por los asistentes. Acostumbraba repartir dinero y semillas de árboles frutales.

La pistola de oro

Cuando el Ejército atrapó a Freddy, el hijo mayor de José Gonzalo Rodríguez Gacha, en la finca «Buenos Aires», en cercanías de Pacho (Cundinamarca), encontró, entre otras cosas, un pequeño arsenal: dos subametralladoras MP5, una miniuzzi, un fusil AK47, cuatro pistolas calibre 7.65, dos revólveres calibre 38, una carabina y cuatro pistolas nueve milímetros. Una de estas armas tenía, en la cacha[91], figuras en relieve grabadas en oro: un mapa de México y una herradura en cuyo interior lucía la cabeza del caballo preferido del capo: *Tupac Amaru*. Las balas estaban marcadas con las iniciales del narco: JGR. Actualmente la pistola se encuentra en el Museo

---

[91] Mango de la pistola.

Histórico de la Policía Nacional —hace parte de
la colección de piezas de la delincuencia que la
institución guarda—, donde es exhibida en un
pequeño cofre de cristal junto a la chaqueta que
usaba Pablo Escobar el día de su muerte y de las
mascarillas mortuorias de algunos de los asesi-
nos más famosos de Colombia.

La viuda negra

A Griselda Blanco, en el mundo de la
mafia le decían *La Viuda Negra*, comparándo-
la con la temible araña venenosa que al morder
provoca dolor, contracturas musculares, espas-
mos viscerales, fiebre e incluso la muerte. Ese
nombre se lo ganó a fuerza de intimidar a la gente y por la fama de mata-amantes que arrastró
hasta su celda en los Estados Unidos, donde en
1994 la acusaron de narcotraficante y de asesi-
nar a por lo menos cuarenta personas en la Florida y Nueva York, en una *vendetta* entre mafiosos. Griselda era una costeña que encontró su
destino en Medellín y fue la pionera en el envío
de cocaína a los Estados Unidos. Todavía hoy se

recuerda que bautizó a uno de sus hijos con el nombre de Michael Corleone, uno de los personajes de la novela *El padrino* de Mario Puzzo.

Los deportes extremos de Escobar

Sobre las aguas del río Claro, en el corazón de la hacienda «Nápoles», Pablo Escobar se deleitaba destruyendo motocicletas acuáticas importadas de los Estados Unidos. Les fundía el motor o las estrellaba contra las piedras. Nunca salió lastimado. Un helicóptero estaba pendiente de reponer cada máquina dañada por una nueva. En estas aventuras acuáticas lo acompañaba de cerca alguno de sus lugartenientes, que apenas si podía seguirle el paso.

El narco que se creía demonio

Camilo Zapata se hizo conocido en los círculos de la mafia por sus prácticas de vudú y magia negra. Realizaba conjuros para evitar que sus embarques de droga tuvieran problemas y para aumentar el tamaño de su fortuna. Se hacía acompañar por una legión de haitianos y brujos que lo obedecían y seguían a todas partes. Decía tener un pacto con el demonio, a quien en sacrificio le ofrecía niños: los degollaba y bebía su sangre. Hizo retirar los espejos de los baños y de los cuartos de su casa, en el norte de Bogotá, como parte de ese pacto demoníaco, y no permitía que lavaran los pisos donde realizaba los sacrificios. Cuando las autoridades allanaron el lugar encontraron en el cuarto de los sacrificios una capa gruesa de sangre, iluminada en los bordes por una llama permanente, mezcla de varios combustibles. Zapata organizaba orgías en las que parejas de mujeres hacían el amor entre ellas o con hombres bien dotados. Fue el dueño del castillo Marroquín, una construcción de piedra tipo Luis XV situada a las afueras de Bogotá. El ejército allanó el lugar el 23 de agosto de 1989. Allí encontraron habitaciones con camas de los siglos XIV, XVI y XVIII, el cuadro original *Una insurrección flamenca*, ganador de la exposición Salón de París de 1906, pintado por Charles C.J. Hoffbauer en 1902, y sistemas electrónicos para abrir y cerrar las puertas. Pero lo que más llamó la atención fue una habitación en la que encontraron Cristos dentro de frascos con alcohol, un libro de brujería, una colección de pócimas y una cantidad de alimentos podridos. Hoy el lugar es un *after party* para chicos *play* de la capital.

Como Zapata, hubo otros narcos que practicaban la brujería. Los más recordados son los hermanos Cano, miembros del cartel de Medellín, quienes a cambio de que el demonio les ayudara en sus negocios de droga mataban personas o se bañaban con sangre de gato (incluso la bebían).

Secuestro de famosos

La guerra desatada por el cartel de Medellín en los ochenta contra el Estado colombiano costó una fortuna. El dinero salía del bolsillo de los propios capos, pero llegó un momento en que el costo económico fue tan alto que se reunieron para buscar nuevas formas de financiación. A Pablo Escobar se le ocurrió la idea de un secuestro masivo de millonarios y famosos. Su idea consistía en retener en Nueva York a la esposa del industrial de la cerveza colombiana Julio Mario Santodomingo, por quien luego pediría 100 millones de pesos; luego ir por el hijo de Carlos Ardila Lülle, propietario de la fábrica de gaseosas Postobón, por quien cobraría 50 millones; enviaría a un grupo de sus hombres a España o a Miami para secuestrar a Chabeli Iglesias, hija del cantante español Julio Iglesias; por ella pediría 30 millones de pesos. La idea fue rechazada de tajo por la gente del cartel.

Embalaje narco

El primer caso de «narcopapas» registrado en Colombia lo decomisó la policía del Quindío en abril de 1995. En diez kilos de tubérculos se habían camuflado seis kilos de base de cocaína. Los narcos hicieron un hueco en cada papa, les metieron bolsitas de cocaína y luego recubrieron los orificios cuidadosamente con las cáscaras. La carga fue llevada en un camión custodiado por dos motocicletas. Luego lo guardaron en una bodega. Fue ahí donde la policía hizo el decomiso. Unos años antes, en 1989, las autoridades descubrieron otro cargamento particular: se trataba de 300 kilos de cocaína escondidos en el interior de cincuenta cocos de palma.

Abuelos sin calzoncillos

La policía del aeropuerto Eldorado de Bogotá ha visto de todo. El 19 de junio de 1995 detuvo a tres ancianos barranquilleros que usaban *panties* de mujer rellenos con cinco kilos de heroína cada uno. La detención se produjo justo en el momento en que se embarcaban para Miami. El primero en caer fue un señor de 70 años. En la requisa de rigor, los policías notaron que tenía unos bultos extraños a la altura de las caderas y las piernas. Cuando lo hicieron desnudar descubrieron que tenía puestos los *panties* repletos de heroína. Cuando su hermano mayor y un cuñado, de 74 y 65 años respectivamente, se dieron cuenta de la detención, se metieron en el baño para deshacerse de sus *panties*. Luego salieron tranquilos para meterse de nuevo en la fila y dejarse requisar. En ese momento la policía ya sospechaba que la carga estaba repartida entre la familia, por lo que los llevaron al baño. Cuando entraron, encontraron los *panties*. Entonces hicieron desnudar a los dos ancianos y descubrieron que ninguno llevaba calzoncillos. Al momento de interrogarlos, ambos dijeron que no sabían que el hombre de 70 años llevaba droga y que no eran los dueños de las prendas de mujer que estaban en el baño; jamás las habían visto antes. Alegaron que hacía años que no usaban calzoncillos porque esa prenda les incomodaba y porque era una costumbre habitual en la costa atlántica prescindir de ellos. Cuando los policías les preguntaron por qué llevaban calzoncillos en las maletas, dijeron que sus esposas insistían en que los usaran; incluso pidieron que revisaran cada prenda para que se dieran cuenta de que no las habían usado en los cuatro días que llevaban en Bogotá. Después de un extenso interrogatorio, los ancianos confesaron la verdad, pero no fueron a la cárcel porque hay una ley que impide que los adultos mayores cumplan penas en prisión.

Tumba con música

En el mausoleo de la familia Muñoz Mosquera hay un espacio reservado para Dan

Denys, apodado *La Quica*, quien se hizo conocido por sus actos de terrorismo y asesinatos en
nombre del cartel de Medellín. Pero tendrá que
esperar un buen tiempo para regresar al país, más
exactamente para ir a su tumba, porque fue condenado en los Estados Unidos a cadena perpetua,
acusado de matar a dos ciudadanos de ese país
en el atentado al avión de Avianca que explo-
tó en pleno vuelo en 1989. La Quica fue capturado en Nueva York el 25 de septiembre de 1991,
en momentos en que llamaba a su casa en Medellín. Seguramente el arresto y la condena lo
salvaron de la muerte. Cinco de sus hermanos
fueron asesinados, uno de ellos en un enfrenta-
miento con la policía. El primero fue Ángelo Ya-
mil, ultimado en marzo de 1988; el segundo fue
Hernando de Jesús, fallecido en mayo de ese mismo año; el tercero, Audy Fernando, en 1990, año
en que la policía dio de baja a Brances Alexan-
der, conocido como *Tyson*, sindicado de asesinato y actos de terrorismo; el último fue Paul Da-
niel, quien fue encontrado en el baúl de un carro
en un parqueadero de un centro comercial de Medellín. Todos están enterrados en el mausoleo

que la familia tiene en el cementerio San Pedro, y en cada tumba hay una placa que dice «sacrificado». En ese lugar la mamá de los Muñoz Mosquera instaló un equipo de sonido en el que sonaban, además de la música preferida de los muertos, canciones evangélicas, algunas interpretadas por miembros de la familia. En 1996 la Alcaldía de Medellín acabó con las instalaciones eléctricas piratas. Una de esas conexiones ilegales era la que tenía el mausoleo, por lo que la música dejó de sonar. La administración municipal le propuso a la familia que instalara un contador de luz, pero ésta no quiso.

El submarino anaranjado

A principios de septiembre de 2000 apareció en los noticieros y periódicos del país un informe sobre un submarino fabricado para la mafia. Lo insólito era que el «astillero» era una bodega en Facatativá (Cundinamarca), a 600 kilómetros de distancia del puerto más próximo. La nave era anaranjada, medía 36 metros de largo y cuatro de alto y podía almacenar hasta 200 toneladas del alcaloide. La Policía calculó que los narcos invirtieron cinco millones de dólares en su construcción y que probablemente faltaban otros cinco para acabarlo. En el allanamiento encontraron manuales para el montaje de la nave en ruso y herramientas con el símbolo de la antigua Unión Soviética, es decir, la hoz y el martillo. El único detenido fue un perro rottweiler que les dio pelea a las autoridades durante varias horas. En su momento, la Policía señaló al cartel del norte del Valle del Cauca como el grupo que contrató los servicios de los técnicos rusos para la construcción del submarino. El entonces director general de la DEA viajó a Bogotá para conocer el aparato, y su representante en Colombia tomó fotos para que no fueran a creer que la historia era un invento suyo o un chiste, pese a que no era la primera vez que se sabía de aparatos de este tipo hechos en Colombia o que tuvieran esta procedencia: en 1994 la DEA encontró varios cargamentos de cocaína en minisubmarinos. En los años siguientes otras naves similares, algunas de ellas teledirigidas, fueron incautadas.

Este libro se terminó
de imprimir en los talleres gráficos
de Editorial Nomos S.A.,
en el mes de julio de 2003,
en Bogotá, Colombia.